- humidificateur
- reste-t-il des lampes ?
- soucoupe

PLANTES VIVACES POUR LE QUÉBEC
PLANTES D'OMBRE

DANIEL FORTIN

PLANTES VIVACES

POUR LE QUÉBEC

TOME IV
Plantes d'ombre

ÉDITIONS DU TRÉCARRÉ

Nous reconnaissons l'aide financière du gouvernement du Canada par l'entremise du Programme d'aide au développement de l'industrie de l'édition pour nos activités d'édition.

Conception graphique et mise en pages : Martin Dufour

Révision linguistique : Marie Rose Vianna

Éditions du Trécarré 1998

ISBN 2-89249-765-5

Dépôt légal 1998
Bibliothèque nationale du Québec

Éditions du Trécarré
Saint-Laurent (Québec) Canada

IMPRIMÉ AU CANADA

SOMMAIRE

REMERCIEMENTS

CET ouvrage sur les vivaces croissant dans les lieux mi-ombragés ou ombragés fut largement inspiré par mes nombreuses promenades dans le sous-bois du Jardin botanique de Montréal. Ce lieu d'observation priviligié demeure une des collections les plus importantes et les plus diversifiées en Amérique du Nord. Je tiens particulièrement à remercier M. Michel-André Otis, horticulteur responsable de ce jardin, pour les nombreuses informations transmises lors de mes visites. J'ai bénéficié de conseils judicieux et des jardins de plusieurs personnes, amis, amies et spécialistes que je tiens également à remercier : M. Laurent Brisson, spécialiste du genre *Hosta*; Mme Patricia Shee, pour son magnifique jardin; M. Jean-Pierre Devoyault, de la pépinière Au jardin de Jean-Pierre; M. Michel Corbeil, de la Maison des fleurs vivaces; M. Francis Cabot, propriétaire du domaine des Quatre-Vents et horticulteur émérite. Je suis reconnaissant envers tous les membres de ma famille et ma conjointe, Louise, pour leur appui. Enfin, une pensée amicale toute spéciale à ma correctrice dévouée, Marie Rose, pour son travail minutieux.

LES VIVACES POUR LES MILIEUX MI-OMBRAGÉS OU OMBRAGÉS

CONSIDÉRÉS par de nombreux amateurs comme un milieu désavantagé, les lieux ombragés ou mi-ombragés offrent un potentiel d'aménagement intéressant pour la culture des plantes vivaces ornementales. Les jeux d'ombre et de lumière créés par les rayons du soleil au travers de la ramure dénudée, au printemps, ou jaillissant par des trouées du feuillage des arbres et arbustes, en été, modifient sans cesse la perception que nous avons de ce milieu. Par de chaudes journées estivales, l'ombre des arbres garantit une certaine fraîcheur au sous-bois; et de ce fait, la présence d'un emplacement mi-ombragé ou ombragé est un atout. De plus, sous la frondaison des arbres, en lumière tamisée ou fortement diminuée, le vert foncé domine; or cette couleur transmet une sensation de calme et de bien-être qui contraste avec la luminosité agressive des tableaux floraux aux tons vifs situés en plein soleil. (Voir photo 1, p. 129)

Pour l'amateur de vivaces, la création de plates-bandes en milieu mi-ombragé ou ombragé, si elle représente un défi, demeure toutefois un apport non négligeable pour le jardin. Un grand nombre de plantes supportent bien l'ombre des grands arbres, notamment les plantes herbacées indigènes de nos sous-bois, les fougères, les mousses et une multitude de plantes ornementales, ainsi que quelques arbustes et plantes annuelles.

Lorsqu'on évalue le potentiel de culture d'un milieu non pleinement ensoleillé, il est nécessaire de préciser avec soin le degré de luminosité du lieu; on peut y arriver par l'observation attentive de la qualité et de la quantité de lumière qui atteint le sol.

L'expression « situation pleinement ensoleillée » qualifie une plate-bande illuminée à longueur de journée par le plein soleil, soit de 7 h à 19 h (de 10 à 12 heures). Un site qui bénéficie d'environ huit heures d'ensoleillement se classe comme « milieu ensoleillé ». Héritant de quatre à six heures d'ensoleillement soit continu, soit interrompu par une période d'ombre de quatre à huit heures, une plate-bande se trouve en situation de « partiellement à mi-ombragée ». (Voir photo 2, p. 129)

L'ombre devient un facteur restrictif de la croissance des plantes qui réclament une exposition ensoleillée lorsqu'elle s'installe pendant plus de six heures par jour.

Outre l'aspect quantitatif, c'est-à-dire le nombre d'heures d'ensoleillement, il faut considérer l'aspect qualitatif de la lumière reçue. Selon le type et l'importance de la frondaison (ensemble des branches feuillues d'un ou de plusieurs arbres) qui surplombe la plate-bande, la luminosité qui atteint le sol se caractérise par de la lumière filtrée ou de la lumière diffuse.

Il est possible de définir un emplacement non ensoleillé sous quatre grandes catégories :

1. Plate-bande installée en milieu partiellement ombragé

Ce type de plate-bande peut être constitué de plantes de milieu ensoleillé ou mi-ombragé. Le plein soleil pendant quatre à six heures et une lumière vive ou légèrement filtrée le reste du temps assurent aux végétaux une croissance vigoureuse. Seule la floraison des plantes nécessitant un milieu pleinement ensoleillé risque d'être moins abondante bien que les fleurs soient souvent plus grosses et de couleur plus éclatante.

2. Plate-bande installée en milieu mi-ombragé

Le milieu de culture est exposé à moins de quatre heures de soleil ou de lumière vive, alors qu'une lumière filtrée baigne les arbustes et les plantes herbacées en croissance durant six à huit heures. Dans ce cas, il est préférable de sélectionner des plantes de milieu mi-ombragé ou ombragé. Les plantes qui nécessitent un milieu vivement ensoleillé perdent de leur vigueur, leurs tiges s'allongent à la recherche d'une source de lumière et doivent être tuteurées. Leur floraison est beaucoup moins abondante et elles sont plus vulnérables à l'égard des maladies et des ravageurs. (Voir photo 3, p. 129)

3. Plate-bande installée en milieu ombragé
Sauf au printemps, avant la feuillaison des arbres, cette plate-bande ne jouit au maximum que d'une lumière filtrée ou diffuse au travers de la ramure des grands arbres; certaines plantes de milieu mi-ombragé parviennent à croître, mais leur croissance et leur floraison sont affectées. Il est préférable de choisir des plantes strictement définies comme des vivaces de milieu ombragé.

4. Plate-bande installée en milieu densément ombragé
Ce type de plate-bande se rencontre sous la frondaison de grands conifères ou à l'ombre de grands bâtiments à revêtement sombre. Peu de plantes résistent à un ombrage très dense, sinon quelques fougères, des mousses et des lycopodes.

On peut bien entendu modifier la luminosité d'une plate-bande en élaguant les branches des arbres qui la surplombent soit pour éclaircir la frondaison, soit pour créer des «puits» de lumière qui rejoindront le sol. (Voir photo 4, p. 130) Il est rare que l'amateur jardinier, dès la préparation du terrain, fasse son choix parmi les essences arborescentes qu'il souhaite introduire dans le but de créer un coin ombragé; le plus souvent, l'existence de grands arbres lui impose d'office celui-ci. Néanmoins, il vaut toujours mieux introduire des arbres à développement réduit sur un petit terrain de résidence urbaine ou opter pour des arbres au port colonnaire* ou fastigié**. Parmi les espèces de hauteur

---

* colonnaire : qui a une forme élancée, en colonne.
** fastigié : dont les branches ascendantes, rapprochées, sont presque parallèles à la tige et forment une cime étroite.

moyenne particulièrement intéressantes, nous relevons l'érable de l'Amur (*Acer ginnala*), l'érable de Pennsylvanie (*Acer pensylvanicum*) (Voir photo 5, p. 130), l'érable à épis (*Acer spicatum*), l'amélanchier du Canada (*Amelanchier canadensis*), l'amélanchier glabre (*Amelanchier laevis*), l'aubépine inerme (*Crataegus crus-galli* 'Inermis'), les caryers (*Carya cordiformis* et *C. ovata*), le charme de Caroline (*Carpinus caroliniana*), le cornouiller à grappes (*Cornus racemosa*), le cornouiller à feuilles alternes (*Cornus alternifolia*), l'olivier de Bohême (*Elaeagnus angustifolia*), le févier inerme (*Gleditsia triancanthos* 'Inermis'), le micocoulier occidental (*Celtis occidentalis*), le cerisier tardif (*Prunus serotina*) et le sorbier des oiseaux (*Sorbus acuparia*). Parce qu'ils possèdent un système racinaire superficiel qui rivalise avec celui des plantes herbacées qui croissent sous leur frondaison, mentionnons qu'il faut éviter d'installer des arbres à croissance rapide tels l'érable argenté (*Acer saccharinum*), les peupliers, notamment le peuplier de Lombardie (*Populus nigra* 'Italica') et le peuplier deltoïde (*P. deltoides*), différents saules (*Salix alba* et *S. babylonica*), les autres arbres à enracinement superficiel tels les bouleaux (*Betula*), le frêne noir (*Fraxinus nigra*), le frêne de Pennsylvanie (*F. pensylvanica*), le cerisier de Virginie (*Prunus virginiana*) et, dans une moindre mesure, l'érable rouge (*Acer rubrum*) et le *Prunus padus* 'Colorata'.

Dans l'établissement de plantes vivaces sous la frondaison de grands arbres, la plupart des échecs sont causés par la prolifération du feutre racinaire de la strate ligneuse plutôt que par une lumière insuffisante. (Voir photo 6, p. 130) On a tendance à oublier que le réseau inextricable et, dans bien des cas, inextirpable des radicelles d'un seul gros arbre puise, durant la canicule, des centaines de litres d'eau par jour ainsi que la presque totalité de la matière nutritive. Face à une telle raréfaction d'éléments vitaux, seules les espèces botaniques, en particulier les plantes indigènes, peuvent opposer une certaine résistance; la majorité des plantes ornementales qui exigent un apport incessant d'eau et de matières nutritives souffrent beaucoup de cette compétition. L'expérience prouve que leur croissance dans le feutre racinaire des arbres est faible et, dans certains cas, presque nulle.

Comme il est souvent difficile d'isoler de leurs compétiteurs ligneux les plantes à introduire, il faudra pallier cette déficience en augmentant les apports d'eau et de matières nutritives et en choisissant d'implanter des spécimens déjà matures.

La luminosité d'une plate-bande située sous le couvert des arbres fluctue selon les saisons (Voir photo 7, p. 131). Au printemps, entre la fonte des neiges et la feuillaison des arbres, le sol de nos « sous-bois » hérite de suffisamment de lumière pour entretenir le cycle végétatif des plantes bulbeuses et des plantes vivaces de milieu mi-ombragé ou ombragé à floraison printanière. À cet égard, le sous-bois des forêts demeure une bonne source d'inspiration pour l'aménagement d'une plate-bande.

Presque toutes les plantes indigènes de nos forêts pourraient tenir une place de choix dans nos aménagements, notamment l'hépatique à lobes aigus (*Hepatica acutiloba*), le trille blanc (*Trillium grandiflorum*) (Voir photo 8, p. 131), le trille rouge (*T. erectum*), le trille ondulé (*T. undulatum*), l'érythrone d'Amérique (*Erythronium americanum*), les violettes des bois (*Viola* sp.), le pigamon dioïque (*Thalictrum dioicum*), l'uvulaire à grandes fleurs (*Uvularia grandiflora*), la sanguinaire du Canada (*Sanguinaria canadensis*), la dicentre du Canada (*Dicentra canadensis*), la dicentre à capuchon (*D. cucullaria*), la claytonie de Caroline (*Claytonia caroliana*), la tiarelle cordiforme (*Tiarella cordifolia*), etc.

Nous mettons toutefois les lecteurs et lectrices en garde contre la cueillette « sauvage » d'espèces indigènes. L'aménagement d'un espace fleuri sur une propriété privée ne doit jamais se faire au détriment du milieu naturel. Il est vrai qu'à une échelle individuelle la cueillette de quelques plantes indigènes semble peu perturber les sous-bois de nos vastes forêts. Cependant l'horticulture est un passe-temps partagé par nombre d'amateurs et l'exemple malheureux de la commercialisation de l'ail des bois (*Allium tricocum*), autrefois très abondant dans les érablières du sud-ouest du Québec, démontre qu'une plante peut disparaître rapidement de son habitat si elle fait l'objet d'une récolte un tant soit peu intensive. Donc, ne cueillez jamais de plantes indigènes

13

dans leur milieu naturel. La seule exception digne d'excuse serait que les plantes prélevées proviennent d'un milieu naturel menacé de disparition à brève échéance (construction domiciliaire, infrastructure routière, etc.). Si vous faites l'achat de plantes indigènes, assurez-vous que le fournisseur respecte lui aussi l'environnement; en d'autres termes, qu'il vend des plantes cultivées par lui ou obtenues par l'entremise de producteurs reconnus. La reproduction par semis (graines) est le meilleur moyen de respecter l'environnement et de propager à coût minime une grande variété de plantes sauvages. Bien que cette méthode soit plus lente que la transplantation des plants matures, c'est celle que nous exigeons des producteurs et que nous recommandons aux amateurs avisés. Plusieurs de ces espèces sont dotées d'un mécanisme de dispersion des graines lorsque le fruit est mûr; il faut donc devancer quelque peu la période de la récolte si l'on veut recueillir leurs graines. Si vous récoltez des semences en pleine nature, ne prélevez que le quart des graines ou des fruits sur chaque plant afin de favoriser la reproduction naturelle de ces géniteurs. Souvenez-vous que dans le sud-ouest du Québec, la plupart des forêts sont des domaines privés et qu'il faut l'autorisation des propriétaires pour circuler sur ces terres à la recherche de semences. La cueillette de semences et de plantes vivantes est strictement interdite dans tous les parcs et sites naturels. Dans cet ouvrage, nous soulignons l'importance de ce groupe de plantes dans l'élaboration d'associations en milieu mi-ombragé ou ombragé en insistant sur les méthodes de reproduction soit par semis, soit végétativement, le cas échéant.

Dans toutes les associations en milieux mi-ombragé et ombragé, on a intérêt à utiliser des bulbes à floraison printanière (Voir photo 9, p. 131). Le choix est vaste, mais il s'agit de sélectionner les bulbes pérennes qui ne nécessitent pas l'arrachage des organes de réserve après la floraison. Dans les plates-bandes où le couvert constitué par la frondaison des arbres est dense, il est préférable d'installer des espèces et des cultivars à floraison hâtive. Leur cycle végétatif est généralement plus court et ces plants pourront bénéficier d'une pleine luminosité printanière.

Dans les associations de plantes vivaces en milieu mi-ombragé ou ombragé, ou s'ingéniera à mettre en valeur les oppositions de forme, de texture et de couleur du feuillage. Pour des raisons évidentes — entre autres, leur tolérance à la faible luminosité –, les *Hosta* et les différentes espèces des fougères sont vivement conseillés dans l'aménagement de la ou des plates-bandes sous couvert.

L'amateur devrait également songer à regrouper des feuillages très découpés comme celui des astilbes, des *Cimicifuga*, ou les dicentres, les *Aruncus* et certaines fougères, avec des plantes à limbes entiers comme ceux de l'*Astilboides tabularis*, des ligulaires (*Ligularia*), des *Petasites*, de l'*Alchemilla mollis*, des hostas, ou les feuillages composés des *Rodgersia*, des sceaux-de-Salomon (*Polygonatum*), des *Streptopus* et de bien d'autres. (Voir photo 10, p. 131)

Sauf dans les plates-bandes situées sous un ombrage dense, les astilbes au feuillage découpé et aux inflorescences en panicule lâche ou en chandelle de fleurs roses, rouges ou blanches, deviendront des plantes incontournables qu'il faut abondamment introduire. Il existe un grand nombre de cultivars de hauteurs variées, dont les périodes de floraison s'échelonnent dans le temps (*voir la liste, page 38*).

Les feuillages panachés ou ponctués de couleurs autres que le vert moyen sont également un atout; parmi les choix qui s'offrent aux amateurs, citons l'*Ajuga pyramidalis* 'Burgundy Glow', l'*A. reptans* 'Multicoloris', l'*Ampelopsis brevipedunculata* 'Elegans', le *Lamium maculatum* 'Album', le *Lamiastrum galeobdolon* 'Herman's Pride', le *Pachysandra terminalis* 'Variegata', le *Physostegia virginiana* 'Variegata', le *Pulmonaria saccharata* 'Mrs. Moon' et le *Vinca minor* 'Variegata', sans oublier un grand nombre d'espèces et de cultivars d'*Hosta*.

Le tableau floral peut être ponctuellement avivé par la floraison d'arbustes comme les rhododendrons ou un groupe de vivaces tels les astilbes, les digitales, les heuchères, les ligulaires (*Ligularia*), etc. On peut également obtenir un effet lumineux plus persistant en introduisant des plantes à feuillage vert pâle ou jaune. Parmi les plantes à sélectionner, nous vous suggérons le physocarpe doré (*Physocarpus opulifolius* 'Luteus'), le sureau doré (*Sambucus racemosa* 'Plumosa

Aurea'), le *Filipendula ulmaria* 'Aurea', les *Hosta fortunei* 'Aurea' et les cultivars 'August Moon', 'Gold Standard', 'Gold Drop', 'Golden Sunburst', 'Sun Dance', le *Lamium maculatum* 'Aureum', le *Lysimachia nummularia* 'Aurea', le *Carex stricta* 'Bowles Golden', le *Milium effusum* 'Aureum', les *Epimedium* et le fusain doré (*Euonymus fortunei* 'Emerald Gold').

Une plate-bande mi-ombragée ou ombragée est un endroit de prédilection pour l'introduction de fougères. Encore sous-utilisées dans les jardins, ces plantes se révèlent des alliées indispensables dans les associations de plantes horticoles. Les choix des espèces et des cultivars ne cesse de s'agrandir au fil des saisons. Si certaines espèces décrites sont encore introuvables dans les pépinières du Québec, nous ne pouvons qu'espérer voir les demandes des amateurs satisfaites au plus tôt par les producteurs.

VAINCRE LA COMPÉTITION DU FEUTRE RACINAIRE DES GRANDS ARBRES

Nous l'avons vu précédemment, le feutre racinaire des grands arbres et des arbustes prélève une partie importante de l'eau et des éléments nutritifs indispensables à la croissance de la strate herbacée. Le développement de la plupart des espèces et des cultivars est considérablement entravé sous la frondaison des arbres et des arbustes à système racinaire superficiel. Le voisinage immédiat des érables argentés (*Acer saccharinum*), des peupliers (*Populus deltoides* et *P. nigra* 'Italica'), des saules (*Salix alba* et *S. babylonica*), des frênes (*Fraxinus nigra* et *F. pensylvanica*) et, dans une moindre mesure, de l'érable rouge (*Acer rubrum*) n'est pas propice à l'installation d'un jardin ombragé. Si ces arbres existent déjà sur l'emplacement visé, un certain nombre de modifications doivent être planifiées et réalisées (Voir photo 11, p. 132). *Hosta + fougère*

Il est toujours préférable, même si c'est difficile, d'extirper les racines superficielles hors de l'étage supérieur de l'emplacement où seront installées les plantes vivaces. Le travail du sol sur 20 à 30 cm de profondeur est une excellente façon d'améliorer le substrat des futures plantations. L'ajout de compost (fumier composté ou compost de feuilles) est vivement recommandé. On conseille également d'amender le sol avec une bonne quantité de mousse de tourbe, qui permet de retenir un fort pourcentage d'eau dans le sol, puis d'y ajouter un engrais naturel complet dans une proportion de 50 à 100 g par mètre carré. Pour s'assurer que la plate-bande ainsi préparée ne sera pas de nouveau envahie par les radicelles des essences ligneuses

17

croissant à proximité, on enterre tout autour de la surface ou du côté d'où proviennent les racines une bande de métal ou de plastique très rigide sur au moins 30 cm de profondeur.

Si le travail du sol se révèle difficile sinon impossible à cause de l'entrelacement d'un grand nombre de racines et de radicelles, il faut procéder à un terreautage. Cette opération consiste à ajouter au sol une certaine épaisseur de terre pour créer un milieu de croissance viable pour les plantes vivaces à introduire. Suivant l'importance du lacis de racines, cette couche d'humus variera de 10 à 25 cm d'épaisseur. Il importe de choisir un mélange de terre organique et de jeune terreau de feuilles ou de bois raméal composté. L'acquisition d'une boîte à compost est souhaitable, car l'amateur pourra ainsi procéder au compostage systématique des feuilles et autres matériaux d'origine végétale dans le but de produire un terreau organique. Au terreautage initial, l'apport annuel, à la fin de l'été ou au début de l'automne, d'une mince couche d'humus (de 1 à 2 cm) entretiendra la croissance des végétaux tout en prévenant le déchaussement des plants.

Au moment de la plantation, on veillera à introduire des spécimens matures dont le système racinaire, entièrement développé, est capable de compétionner avec le feutre racinaire présent. L'ajout d'un engrais soluble de type « transplanteur » (10-52-10) stimulera la croissance des radicelles de ces plants (Voir photo 12, p. 132).

Malgré toutes les précautions prises, il est plus que probable qu'une grande partie de la plate-bande nouvellement créée ou réaménagée soit à nouveau envahie par les radicelles des arbres ou des arbustes avoisinants. À moins de recommencer l'opération d'arrachage des radicelles, ce qui sous-entend le déplacement temporaire des végétaux, il faudra combler les besoins en eau et en éléments nutritifs de l'ensemble des végétaux présents. Une gestion attentive de l'apport d'eau et d'engrais permet d'entretenir la croissance des plantes bien installées, mais ce ne sera pas nécessairement la cas pour les jeunes spécimens au système racinaire peu développé qui n'obtiennent pas toujours en suffisance les éléments nutritifs nécessaires à leur croissance. On voit donc l'importance d'installer des plants dont le système racinaire est suffisamment robuste.

À la couche annuelle de 1 à 2 cm de terreau de feuilles bien décomposé, il convient d'ajouter 50 à 75 g/m² d'engrais naturel ou 25 à 35 g/m² d'engrais chimique équilibré à dissolution lente de type *Osmocote*. En outre, lors de l'arrosage, on fournira aux plants un supplément d'éléments minéraux rapidement assimilables sous la forme d'un engrais soluble équilibré (20-20-20 ou 10-10-10). Il suffit d'ajouter 200 à 250 g de cet engrais à un récipient d'environ 10 litres d'eau; durant un arrosage régulier, le siphon prélève l'engrais concentré et le mélange automatiquement à l'eau d'arrosage. Toutes les plantes ainsi arrosées reçoivent une faible dose d'éléments minéraux (Voir photo 13, p. 132).

Génétiquement, les plantes indigènes de nos sous-bois ont la capacité de soutirer efficacement du milieu dans lequel elles vivent les éléments nutritifs nécessaires à leur croissance. Cette capacité est également le fait d'un grand nombre de vivaces établies sous la frondaison des arbres, mais elle est souvent amoindrie chez de nombreux cultivars issus de multiples hybridations. Durant le processus de sélection, on donne primauté à la couleur des fleurs ou du feuillage, au détriment de leur résistance ou de leur rusticité. Dans les plates-bandes où le feutre racinaire est dense et difficile à extirper, l'amateur aura intérêt à introduire les espèces indigènes (Voir photo 14, p. 132).

Outre les éléments minéraux, l'apport d'eau doit être abondant autant que régulier. Il faut quotidiennement vérifier si le substrat de plantation conserve une certaine humidité. Le cas échéant, on devra arroser généreusement les plates-bandes. Un stress hydrique important ou répété diminue la vigueur des plants en bloquant l'apport d'éléments minéraux et abrège la durée de la floraison. Des plantes stressées et affaiblies sont plus vulnérables aux maladies ainsi qu'aux ravageurs, et leur rusticité s'en trouverait compromise.

L'EMBARRAS
DU CHOIX...

Il existe une multitude de plantes qui tolèrent très bien – et qui aiment même – les situations mi-ombragées ou ombragées. Nous vous en donnons une liste exhaustive dans les pages qui suivent. Les plantes sont classées par ordre alphabétique sous leur nom scientifique.

Aceriphyllum

Originaire de Chine, l'*Aceriphyllum rossii* est une plante rustique (zone 5), de la famille des saxifragacées, promise à une certaine diffusion (Voir photo 15, p. 132). Encore de nos jours, elle est difficile à obtenir dans les pépinières du Québec. De son rhizome horizontal, cette vivace émet de jolies feuilles palmées à cinq lobes. Le feuillage nouveau est rougeâtre avant de devenir vert foncé. Une hampe florale de 20 à 30 cm de hauteur émerge du rhizome lors de la feuillaison. Les petites fleurs d'un blanc légèrement rosé sont réunies en cymes hélicoïdales au-dessus du feuillage et s'épanouissent vers la mi-mai ou la fin mai. Ces plantes forment rapidement, sur un sol meuble et profond, de petites touffes assez denses. Les acériphyllums préfèrent un sol argileux et frais. Avec un bon paillis de feuilles ou une toile géothermique, cette plante pourrait probablement survivre en zone 4 (distance de plantation : de 25 à 30 cm).

Aconitum

Les aconits, également nommés casques-de-Jupiter, sont de précieux alliés pour l'élaboration de parterres floraux en situation mi-ombragée. Ce genre renferme plusieurs espèces rustiques sous notre latitude (zones 3a et 4a) qui méritent certainement d'être introduites dans un jardin. Prenez garde ! les feuilles et les fleurs contiennent des substances toxiques si elles sont ingérées ; les aconits sont donc à proscrire dans un jardin fréquenté par de jeunes enfants qui ont l'habitude de tout porter à la bouche.

La classification des espèces varie selon les auteurs. Pour les amateurs, cette nomenclature n'a guère d'importance, car les espèces botaniques sont délaissées au profit de nombreux cultivars plus florifères.

Issu d'un croisement complexe, l'*Aconitum x cammarum*, (aussi connu sous le nom scientifique d'*A. x bicolor*) est un hybride stérile, d'environ 80 cm à 1,50 m de hauteur ; il porte des fleurs bleues. La floraison débute à la mi-juillet et perdure jusqu'à la fin d'août. Le cultivar **'Bicolor'** (Voir photo 16, p. 133) est sans conteste l'un des aconits les plus décoratifs ; il mesure de 80 cm à 1,20 m de hauteur et exhibe sur sa hampe florale ramifiée de jolies fleurs blanches ourlées de bleu foncé. On le trouve aisément dans les bonnes pépinières du Québec. Ce cultivar rustique (zone 4) prospère dans une plate-bande légèrement ombragée ou mi-ombragée, et il s'associe bien aux *Hosta*, *Polygonatum* et *Astilbe*. Cet hybride peut être atteint par une maladie cryptogamique, le wilt, causée par un champignon pathogène, le *Verticillium alboatrum*. Il ne faut jamais le cultiver en sol lourd et insuffisamment drainé. Un autre cultivar d'*A. x cammarum*, le '**Grandiflorum Album**', arbore de longs épis aux fleurs bien espacées d'un blanc pur (distance de plantation : de 50 à 60 cm).

Originaire du centre de la Chine, l'*Aconitum carmichaelii* (syn. *A. fischeri*) est une espèce rustique (zone 3) d'environ 1 m à 1,25 m de hauteur, aux feuilles palmées trilobées d'un vert foncé et luisant (Voir photo 17, p. 133). Les fleurs d'un bleu moyen s'épanouissent vers le début ou la mi-septembre. La variété *wilsonii*, ainsi nommée en l'honneur du célèbre chasseur de plantes, Ernest Henry Wilson, a un port plus vigoureux, caractérisé par des tiges florales de 1,50 m à 1,70 m de hauteur. Le cultivar 'Baker', plus robuste encore, se garnit de fleurs d'un bleu violacé (distance de plantation : de 50 à 60 cm).

L'aconit napel (*Aconitum napellus*) est une espèce cultivée depuis fort longtemps en Europe. Les fleurs d'un bleu violacé sont groupées par grappes sur une tige feuillée d'environ 0,80 m à 1,35 m de hauteur. On lui connaît de nombreuses sous-espèces et quelques cultivars fort esthétiques. L'*A. napellus* ssp. *compactum* 'Carneum' (Voir photo 18, p. 133) porte des fleurs d'un rose pâle, alors que celles du cultivar 'Album', d'un blanc pur, garnissent des hampes florales de 1 m à 1,20 m de hauteur. Les fleurs s'épanouissent vers la mi-juillet et la floraison se renouvelle jusqu'à la mi-août dans le sud-ouest du Québec. Leur rusticité est bonne en zones 5 et 4b, mais l'espèce réclame en zone 3 une certaine protection hivernale sous forme d'un paillis. Le cultivar 'Newry Blue', d'environ 1,50 m de hauteur, aux fleurs bleu marine assez nombreuses sur une longue hampe florale, et son pendant, le 'Bressingham Spire', de 90 cm de hauteur, aux fleurs d'un bleu violacé uni, sont vendus la plupart du temps sous le nom de *Aconitum x bicolor* (distance de plantation : de 45 à 60 cm).

Également originaire de Chine, l'aconit d'Henri (*Aconitum henryi*) est quelquefois offert dans les bonnes pépinières. Rustique (zone 4), cette espèce d'environ 1,20 m à 1,50 m de hauteur fleurit vers la fin de juillet ou au début d'août. L'espèce botanique est rarement commercialisée, on lui préfère le cultivar 'Spark's Variety', aux fleurs d'un bleu violacé. On doit le tuteurer, car les tiges n'ont que peu de rigidité (distance de plantation : de 60 à 70 cm).

L'*Aconitum septentrionale* est une espèce semblable à l'*A. vulparia* (syn. *A. lycoctonum*) et est dotée d'une excellente rusticité (zone 3) sous notre latitude. On trouve assez facilement dans les pépinières le cultivar 'Ivorine', d'environ 70 à 90 cm de hauteur, aux fleurs nettement effilées, d'un blanc crème. La floraison débute mi- juin ou fin juin et se renouvelle pendant quelques semaines (distance de plantation : de 40 à 50 cm).

Peu connu de la plupart des amateurs, l'aconit volubile (*Aconitum volubile*) présente, comme son nom l'indique, un port volubile qui pourrait être utile dans de petits jardins. Cette espèce rustique (zone 3) est cependant difficile à obtenir dans les pépinières. L'aconit volubile s'accroche aux plantes environnantes ou à un support et s'élève de 1,50 m à 1,80 m de hauteur. Les fleurs bleu pâle s'épanouissent au sommet des tiges feuillées. La floraison, peu abondante, débute en juillet et se poursuit jusqu'au début d'août ou jusqu'à la mi-août (distance de plantation : de 70 à 80 cm).

L'*Aconitum vulparia*, également vendu sous le nom scientifique d'*A. lycoctonum*, est une espèce rustique (zone 4a), d'environ 80 cm à 1 m de hauteur, qui porte des fleurs groupées en racèmes terminales d'un jaune très pâle ou d'un blanc crème. Elle fleurit en juillet et se ressème assez facilement. Une autre espèce, l'*Aconitum lamarckii*, ressemble fort à l'*A. vulparia*; ses feuilles sont cependant plus découpées et sa rusticité est inférieure (zone 5).

Actaea

Deux actées indigènes, l'actée rouge (*Actaea rubra*) et l'actée à gros pédicelles (*A. pachypoda*), croissent dans les sous-bois des érablières et de la forêt mixte du territoire québécois. On les trouve de plus en plus fréquemment dans les bonnes pépinières (Voir photo 19, p. 133). Ces deux espèces conviennent parfaitement à des plates-bandes en situation mi-ombragée à ombragée. Le feuillage composé, aux folioles découpées et dentées, s'élève sur 40 à 60 cm de hauteur. Au printemps, ces vivaces portent des épis de fleurs blanches. Après fécondation, les fleurs se transforment en baies charnues rouges chez l'actée rouge, et blanches chez l'actée à gros pédicelles. Les grappes de fruits jettent une note de couleur au sein d'un parterre sis en milieu mi-ombragé à ombragé. Les actées réclament un sol profond, meuble, humifère et frais. Leur rusticité (zone 3b) est excellente. On ne leur connaît pas de ravageurs ni de maladies (distance de plantation : de 50 à 60 cm).

Adenophora

Ce genre est tellement voisin de celui des Campanula que la plupart des amateurs et des horticulteurs les confondent (Voir photo 20, p. 133). L'*Adenophora liliifolia* est l'espèce généralement offerte dans les bonnes pépinières. Elle porte une touffe de feuilles elliptiques à arrondies d'où s'élèvent, à la mi-juillet, des hampes florales de 60 à 80 cm de hauteur. Les fleurs tubulaires d'un bleu violacé pâle forment un long épi lâche analogue à celui des *Campanula alliarifolia* et *C. rapunculoides*. Cette vivace de culture facile et très florifère exige un sol meuble et un emplacement ensoleillé ou mi-ombragé (distance de plantation : 40 cm). Elle se ressème d'elle-même.

Agastache

Originaire de l'Amérique du Nord, l'*Agastache foeniculum* croît dans les espaces ouverts sur un sol bien drainé (Voir photo 21, p. 134). Ce n'est pas véritablement une plante de milieu ombragé. Rustique (zone 5), sa croissance ne semble pas contrariée par un emplacement partiellement ombragé. Cette vivace à feuilles opposées se dresse sur 1,20 m à 1,80 m de hauteur. Les inflorescences s'épanouissent, au sommet des tiges feuillées, de la mi-août à la fin de septembre. Les petites fleurs bleues à bleu violacé sont réunies en épis. Cette plante intéressante pour sa floraison tardive demeure encore difficile à obtenir dans les pépinières. Sous notre latitude, on recommande de la protéger en hiver au moyen d'un paillis (distance de plantation : de 60 à 80 cm).

Ajuga

La bugle pyramidale (*Ajuga pyramidalis*) et la bugle rampante (***A. reptans***) constituent de jolis couvre-sols sur un emplacement légèrement à mi-ombragé. En terre meuble et riche en matière organique, les bugles se propagent facilement par leurs multiples stolons et forment des tapis assez denses. La bugle rampante (zone 3) comporte un grand nombre de cultivars séduisants par leur floraison ou leur feuillage coloré : **'Alba'**, 15 cm de hauteur, au feuillage vert et aux fleurs blanches; 'Atropurpurea', 15 cm, au feuillage pourpré et fleurs bleu violacé; 'Bronze Beauty', de 10 à 15 cm, au feuillage couleur bronze et fleurs bleu violacé; 'Burgundy Glow', un cultivar particulièrement intéressant, de 10 cm à 15 cm, au feuillage vert bordé de blanc et de rose (Voir photo 22, p. 134) ; 'Cattlyn's Giant', de 15 à 20 cm de hauteur, un nouveau cultivar aux feuilles couleur bourgogne lorsqu'elles sont jeunes, puis qui vieillissent sur un vert foncé et aux fleurs bleues; 'Metallica Crispa', un cultivar plus difficile à obtenir, plant de 15 cm de hauteur, au feuillage vert argenté et crêpelé; 'Pink Silver', 15 cm, au feuillage vert argenté et aux fleurs bleues; 'Multicolor', 15 cm, au feuillage vert pourpré, bigarré de rose, de rouge et de jaune; 'Purple Torch', de 15 à 20 cm, cultivar vigoureux, au feuillage d'abord bronzé, puis verdissant durant la saison de croissance, aux fleurs roses; 'Variegata', 15 cm, au feuillage vert panaché de blanc, et aux fleurs bleu violacé (distance de plantation : de 20 à 30 cm).

Alchemilla

L'alchémille (*Alchemilla mollis*) est une plante particulièrement intéressante dans diverses associations en milieu ensoleillé à ombragé (Voir photo 23, p. 134). Ses feuilles palmatilobées à arrondies, d'un vert jaunâtre, forment des touffes denses d'environ 30 à 40 cm de hauteur sur une terre meuble et un sol frais. À la mi-juin ou au début de juillet, apparaît au-dessus du feuillage un nuage de petites fleurs jaunâtres qui accentuent l'effet décoratif de la plante. Cette espèce rustique (zone 3b) tolère une courte période de sécheresse. Sa croissance n'est pas contrariée par une situation en milieu partiellement ombragé et elle supporte assez bien un ombrage moyen (distance de plantation : de 40 à 50 cm).

Allium

Toutes les espèces d'ails à floraison printanière conviennent à un sous-bois de feuillus (*Allium aflatunense, A. molly* et *A. karataviense*) puisque la ramure des branches, avant feuillaison, laisse pénétrer les rayons solaires, ce qui permet au jeune feuillage de ces bulbes d'emmagasiner les réserves indispensables à la reconstitution de leur organe de réserve. D'autres espèces estivales s'intègrent bien dans une plate-bande légèrement à partiellement ombragée : *Allium cernuum, A. flavum* et *A. victorialis*.

Originaire de l'Amérique du Nord, l'***Allium cernuum*** est une petite espèce qui fleurit de la mi-juin à la fin de juillet en arborant une petite ombelle sphérique composée de minuscules fleurs roses (Voir photo 24, p. 135). L'inflorescence est portée sur une hampe florale d'environ 30 à 40 cm de hauteur. Cet ail rustique (zone 4) exige un sol bien drainé, meuble et riche en matière organique (distance de plantation : 10 cm).

L'***Allium flavum*** n'est pas l'espèce la plus spectaculaire du genre, mais elle a cependant du charme. Cet ail rustique (zone 3b) dont la floraison court de la mi-juillet au début d'août porte, sur une hampe florale de 20 à 35 cm de hauteur, un glomérule de petites fleurs jaunes aux pédoncules floraux retombants (Voir photo 25, p. 135). Parce qu'elle fait contraste avec un feuillage foncé, cette inflorescence délicate attire le regard (distance de plantation : 10 cm).

Fleurissant plus tardivement, soit au début de septembre, l'***Allium victorialis*** est une autre espèce rustique (zone 3b) fort estimée dont l'inflorescence s'élève sur une hampe florale d'environ 35 à 45 cm de hauteur. Les petites fleurs, blanc crème, sont réunies en une ombelle sphérique. Cette plante préfère un sol humifère, plutôt frais, et un emplacement mi-ombragé (distance de plantation : 15 cm).

Amsonia

Les deux espèces d'*Amsonia*, l'*A.* **angustifolia** et l'*A.* **tabernaemontana** sont de très jolies plantes herbacées, rustiques (zone 5), mais encore trop peu distribuées au Québec (Voir photo 26, p. 135). Leurs tiges feuillées, aux feuilles très étroites, s'élèvent sur 40 à 80 cm et portent à leur sommet une cyme corymbifère de petites fleurs blanches ou légèrement bleutées, très ouvertes. Elles s'épanouissent de la mi-juin jusqu'au début de juillet. Les *Amsonia* réclament un sol très bien drainé et une plate-bande mi-ombragée. Elles tolèrent mal un emplacement très ombragé (distance de plantation : de 50 à 60 cm).

Anemone

Le genre *Anemone* renferme environ 120 espèces originaires de milieux très différents de l'hémisphère Nord. Parmi les espèces rustiques sous notre latitude et supportant un ombrage léger à moyen, citons *Anemone canadensis*, *A. hupehensis*, *A. x hybrida*, *A. nemorosa*, *A. ranunculoides*, *A. sylvestris* et *A. vitifolia*.

L'*Anemone canadensis* est une espèce indigène du Québec (zone 4a) dont on découvre souvent de vastes colonies établies sur un sol plutôt humide (Voir photo 27, p. 138). Elle affectionne particulièrement les taillis ouverts temporairement inondés au printemps, le bord des fossés et les talus des rivages des cours d'eau. La tige florifère, robuste, porte un verticille de trois à cinq feuilles profondément divisées. Les fleurs sont formées de cinq pétales blancs. Il lui faut un sol humifère et un emplacement légèrement ombragé (distance de plantation : de 15 à 20 cm).

Rustique (zone 5), l'*Anemone nemorosa* est une espèce de 15 à 20 cm de hauteur, originaire d'Europe et d'Asie, qui serait tout à son avantage dans les plates-bandes en milieu mi-ombragé ou ombragé. Au printemps, cette anémone porte de petites fleurs à cinq pétales blancs quelquefois teintés de rose. On trouve plusieurs cultivars sur le marché : 'Alba Plena', à fleurs doubles, blanches; 'Allenii', à fleurs bleues; 'Blue Beauty', à larges fleurs bleues au feuillage vert teinté de bronze; 'Rosea', à fleurs roses. Cette espèce n'est guère distribuée dans les pépinières du Québec et c'est regrettable (distance de plantation : de 10 à 15 cm).

Les espèces *Anemone hupehensis*, *A. x hybrida* (un hybride issu d'un croisement entre les *A. hupehensis* var. *japonica* et *A. vitifolia*) et *A. vitifolia* sont des anémones de grande taille, de 60 cm à 1,60 m de hauteur, originaires de l'Himalaya, de la Chine et du Japon. Ces plantes fleurissent à la fin de l'été ou en automne et sont un bel ornement pour le jardin. De culture facile, les anémones d'automne exigent un sol profond, meuble, riche en matière organique et de préférence toujours frais. Il leur faut un emplacement légèrement ombragé à mi-ombragé. Elles portent, selon les cultivars, de grosses fleurs simples ou semi-doubles. L'espèce la plus rustique offerte dans les pépinières est l'*Anemone vitifolia* '**Robustissima**' qui croît jusqu'en zone 4a à condition de jouir d'une protection hivernale. Les cultivars '**September Charm**', à fleurs simples, roses, et '**Splendens**', à fleurs d'un rose carminé plus foncé au centre, rattachés à l'espèce *A. hupehensis*, se révèlent également d'une bonne rusticité (zone 4b) pour le sud-ouest du Québec. Tous les cultivars classés sous la dénomination *Anemone x hybrida* réclament un emplacement protégé ou une protection hivernale : '**Honorine Jobert**', à fleurs simples formées de six à neuf pétales d'un blanc pur (Voir photo 28, p. 138); '**Margarete**', à fleurs semi-doubles rose foncé; '**Mont-Rose**', à fleurs doubles roses; '**Prince Henry**', à fleurs semi-doubles rose foncé; '**Reine Charlotte**', à grandes fleurs roses formées de six à huit pétales; '**Rose d'automne**', à fleurs doubles roses; '**Rubra**', à fleurs doubles d'un rose foncé presque rouge; '**Whirlwind**', aux abondantes fleurs semi-doubles blanches. Ces grandes anémones se marient bien aux *Aconitum*, aux *Cimicifuga* et aux astilbes de grande taille, telle l'*Astilbe chinensis var. taquetii 'Superba'* (distance de plantation : de 40 à 70 cm).

Relativement peu connue, l'*Anemone ranunculoides* a un port assez semblable à celui de l'*A. nemorosa*. Elle mesure de 10 à 15 cm de hauteur et arbore, au sommet du feuillage, de petites fleurs jaunes qui s'épanouissent au printemps. Deux cultivars sont connus : '**Superba**' au feuillage bronzé et '**Flore Pleno**' aux fleurs doubles. L'espèce est rustique (zone 4) dans le sud-ouest du Québec. Elle réclame un sol bien drainé et un emplacement mi-ombragé (distance de plantation : 15 cm).

Mieux connue et offerte en pépinière, l'*Anemone sylvestris* est une jolie espèce rustique (zone 3), de 30 à 50 cm de hauteur, aux feuilles découpées, qui croît en des lieux légèrement ombragés ou mi-ombragés (Voir photo 29, p. 138). Les fleurs aux pétales blancs, de 4 à 7 cm de diamètre, parfumées, s'ouvrent à la fin de mai ou au début de juin, puis par intermittence durant l'été et l'automne. On lui attribue deux cultivars : '**Flore Pleno**', à fleurs doubles, et '**Grandiflora**', à larges fleurs blanches (distance de plantation : 15 cm).

Anemonella

L'*Anemonella thalictroides* est une très jolie plante ornementale qui jouira d'une très large diffusion lorsque les amateurs seront sensibilisés à ses charmes (Voir photo 30, p. 138). On la connaît également sous le nom scientifique de *Thalictrum anemonoides*; sa rusticité (zone 4) laisse envisager son introduction dans les jardins du sud-ouest du Québec. Les tiges, fort grêles, portent un feuillage très délicat. Cette vivace s'étale plus qu'elle ne pousse en hauteur. Sa taille varie de 10 à 20 cm et son diamètre de 20 à 30 cm. Les petites fleurs, aux délicats pétales blancs ou rosés, s'épanouissent, très tôt au printemps, au sommet des tiges feuillées. Le cultivar '**Rosea Plena**', fort séduisant, porte des fleurs roses très doubles. Cette espèce croît dans une plate-bande au sol humifère, légèrement acide et mi-ombragée. Dès le mûrissement des fruits, le feuillage de la plante disparaît; il est important de bien localiser les plants pour éviter, par un binage malencontreux, de détruire les racines tubéreuses (distance de plantation : de 30 à 35 cm).

Anemonopsis

Inconnue des amateurs, l'*Anemonopsis macrophylla* est une plante qui convient fort bien à un emplacement mi-ombragé à ombragé (Voir photo 31, p. 138). Cette petite vivace rustique (zone 4b), encore difficile à obtenir au Québec, présente un feuillage composé assez semblable à celui des actées (*Actaea*). En juillet s'élève une hampe florale ramifiée, d'environ 60 à 80 cm de hauteur, portant des fleurs pendantes formées de 7 à 10 pétales, de 3 à 5 cm de diamètre, d'un blanc à peine coloré de lilas. Cette vivace exige un sol humifère, plutôt frais et profond; elle ne tolère pas même une courte période de sécheresse (distance de plantation : de 50 à 60 cm). On ne peut qu'espérer voir cette vivace mise en vente chez les producteurs du Québec.

Aquilegia

Le genre *Aquilegia* est bien connu des amateurs de vivaces. Plusieurs espèces et cultivars sont offerts en pépinière. Les ancolies hybrides, avec leurs grosses fleurs et leur floraison abondante, semblent tenir une place de plus en plus grande dans les plates-bandes ensoleillées à mi-ombragées. Toutes les ancolies arborent un joli feuillage découpé de texture légère et gracieuse. Outre les différentes espèces ornementales (décrites dans le tome I de cette collection), l'amateur peut se procurer notre espèce indigène, l'ancolie du Canada, qui supporte à la fois un ombrage qui varie de léger à moyen et un sol au drainage excessif (distance de plantation : de 30 à 35 cm).

L'ancolie du Canada (***Aquilegia canadensis***) pousse en pleine natutre dans les sols sablonneux ou sur les parois des falaises calcaires du golfe Saint-Laurent (Voir photo 32, p. 139). Cette espèce indigène, à la floraison printanière, aux fleurs rouges et jaunes nettement éperonnées, tolère aussi bien une exposition ensoleillée que mi-ombragée. Il lui faut toujours une terre bien drainée dont le pH est légèrement alcalin, bien qu'elle puisse croître dans un sol modérément acide. C'est un excellent choix pour la lisière d'un bois, sur sol meuble, sablonneux, et au drainage parfait. La reproduction par semis s'effectue très facilement; on récolte les graines dès maturation des fruits secs, vers le début de juillet. Pour leur assurer une excellente germination, les graines doivent passer par un traitement de vernalisation, c'est-à-dire subir une période de stratification au froid pendant trois à quatre semaines à une température maximale d'environ 3°C à 5°C. Traitées de cette manière, les graines germeront de trois à quatre semaines après le semis, à condition que la température soit maintenue aux alentours de 25°C.

Un grand nombre d'hybrides sont également offerts par les grainetiers ou les pépiniéristes. Certains d'entre eux sont issus de croisements entre les *A. chrysantha* et *A. canadensis*. Mentionnons ici la série **McKana Giants Mix**, dont les cultivars peuvent atteindre une hauteur de 50 à 70 cm. Les fleurs, d'environ 7 cm de diamètre, ont de longs éperons; la série **Music**, une lignée très intéressante qui renferme des spécimens de 50 cm de hauteur, vigoureux et très florifères. On trouve également des semences ou des plants à coloris spécifiques : bleu et blanc, rose et blanc, rouge et jaune vif, rouge et blanc, blanc pur et mélange des différents coloris déjà cités; tous ces cultivars ont des fleurs à éperons longs. Depuis peu, les amateurs peuvent acquérir des plants d'une nouvelle lignée extrêmement décorative, la série **Songbird** (Voir photo 33, p. 139). Les cultivars issus de cette lignée ont une floraison hâtive, débutant à la fin mai, et arborent de grandes fleurs sur des plants de 50 à 60 cm de hauteur. Plusieurs coloris sont offerts : '**Blue Bird**', aux sépales bleu pâle et pétales blancs; '**Blue Jay**', aux sépales bleu foncé et pétales blancs; '**Bunting**', un plant compact d'environ 35 à 40 cm de hauteur, aux sépales bleu pâle et pétales blancs; '**Cardinal**', aux sépales rouge vif et pétales blancs; '**Dove**', à fleurs blanches; '**Goldfinch**', plant compact de 25 à 40 cm, à fleurs jaune pâle; '**Robin**', aux sépales rose pâle et pétales blancs. Enfin, la série **Star** propose des ancolies à floraison hâtive sur des plants de 60 cm de hauteur dont les fleurs arborent de longs éperons : '**Blue Star**', aux sépales bleus et pétales blancs; '**Crimson Star**', aux sépales rouge foncé et pétales blancs; '**Red Star**', aux sépales rouges et pétales blancs; '**White Star**', à fleurs blanches.

L'ancolie hybride '**Nora Barlow**', aux fleurs doubles en pompons, sans éperons, de couleur rose foncé et blanc crème à blanc verdâtre, connaît un grand succès chez nombre d'amateurs. Les horticulteurs ont créé une nouvelle lignée d'ancolies rustiques (zone 3b), à fleurs doubles portées sur des hampes florales d'environ 65 à 80 cm de hauteur : '**Black Barlow**', à fleurs violet foncé; '**Blue Barlow**' à fleurs bleues; '**Rose Barlow**', à fleurs roses et '**White Barlow**', à fleurs blanches.

On recommande de traiter les ancolies comme des plantes bisannuelles et d'entreprendre chaque année de nouveaux semis. Comme toutes les nouvelles lignées sont des hybrides F1, il est préférable d'acheter de nouvelles graines et de renoncer à récolter ses propres semences.

Aralia

L'aralie à tige nue (**Aralia nudicaulis**) croît dans les érablières et les bois mixtes du Québec. Cette plante herbacée rustique (zone 2b), à long rhizome superficiel, émet une seule grande feuille d'environ 25 à 50 cm de hauteur, composée de trois parties. Chacune de ces parties est également divisée en six ou neuf folioles. L'inflorescence surgit de la base du pétiole et porte, sur un court pédoncule floral ramifié au sommet, trois ombelles sphériques de fleurs verdâtres. À la fin de l'été, cette aralie produit des fruits de couleur pourpre noirâtre (distance de plantation : de 40 à 50 cm).

Une autre espèce mériterait d'être introduite dans les jardins ombragés du Québec, l'aralie à grappes (**Aralia racemosa**). Cette grande plante herbacée, de plus de 1 m de hauteur, porte des feuilles composées de nombreuses folioles ovées à bords dentelés (Voir photo 35, p. 139). L'inflorescence est une grappe composée formant une grande panicule de fleurs verdâtres. Sa rusticité est bonne (zone 4b), mais on la trouve difficilement en pépinière (distance de plantation : 1,25 m).

Arisaema

Le petit-prêcheur (**Arisaema atrorubens**) est une plante indigène de la famille des diffenbachias (Aracées) assez commune dans les sous-bois riches et humides des érablières (Voir photo 36, p. 140). Son inflorescence, le spadice, est enveloppée dans une membraneuse colorée, la spathe. Le tout simule vaguement un prêcheur en chaire. Dans son habitat naturel, le petit-prêcheur croît sur un sol humifère, frais (légèrement détrempé) et en situation mi-ombragée. Dans le jardin, il faut reproduire ces conditions de culture si on veut le voir prospérer. Le substrat de culture doit être légèrement acide (pH 5 à 6,5). Rustique (zone 3), cette plante d'environ 30 à 50 cm de hauteur se multiplie facilement par semis; la division des cormus* est également

---

* cormus : organe complexe apparenté à un bulbe, plus ou moins aplati, plus ou moins sphérique, composé d'un plateau surmonté d'une réserve qui porte un bourgeon apical entouré de la base des feuilles.

envisageable, mais elle est plus difficile. Les fruits, qui sont bien visibles même après la disparition du feuillage, seront récoltés à la fin de l'été lorsqu'ils auront une coloration rouge orangé. Pour pouvoir germer, les graines contenues dans la pulpe seront prélevées et doivent subir une période de stratification au froid pendant 6 à 12 semaines à 3°C. On les sème dans un terreau fertile et les plantules se développent assez rapidement (distance de plantation : de 25 à 30 cm).

Aruncus

Le genre *Aruncus* est surtout connu en horticulture ornementale pour l'espèce **A. dioicus**. Également identifié sous le nom scientifique d'*Aruncus sylvestris*, la barbe-de-bouc est une plante rustique (zone 3), aux feuilles composées imparipennées portant des folioles lancéolées et dentées (Voir photo 37, p. 140). Le feuillage forme une touffe d'environ 80 cm à 1 m de diamètre. Au sommet des tiges feuillées se développent de grandes panicules de minuscules fleurs blanches en forme de longs plumeaux dressés. L'ensemble, feuillage et inflorescence, s'érige sur 1,10 m à 1,80 m de hauteur et s'épanouit vers la mi-juin. Le cultivar '**Kneiffii**' présente un port plus compact, d'environ 70 cm de hauteur, et porte des folioles profondément découpées. Cette vivace robuste, simple à cultiver, exige un sol humifère plutôt frais, et un emplacement mi-ombragé à ombragé. Elle supporte le plein soleil à condition que la terre demeure humide (distance de plantation : de 90 cm à 1,10 m).

Moins connue et plus discrète, l'***Aruncus aethusifolius*** est une espèce originaire de Corée et du Japon. Quoique plus petite, elle a une ressemblance morphologique avec l'*A. dioicus* (Voir photo 38, p. 140). Ses tiges feuillées ne se dressent que sur 15 à 20 cm de hauteur. Rustique (zone 5), cette espèce, à l'instar des autres *Aruncus*, préfère une terre meuble, profonde, riche en matière organique et un emplacement partiellement ombragé (distance de plantation : de 20 à 25 cm).

Asarum

Le gingembre sauvage ou asaret du Canada (*Asarum canadense*) croît à l'état sauvage dans les érablières fertiles du sud-ouest du Québec (Voir photo 39, p. 140). Cette plante vivace de 10 à 15 cm de hauteur, à rhizome étalé sur le sol, porte deux feuilles cordiformes et pubescentes. Sous le feuillage, on découvre tôt au printemps une petite fleur de ton pourpre brunâtre. Cette plante sauvage (zone 3b) se cultive assez facilement dans un sol bien drainé au pH qui peut varier de 5 à 7,5 (distance de plantation : de 20 à 25 cm). La reproduction par semis ne donne guère de résultats, mais en revanche la division des rhizomes s'effectue très facilement. Il suffit de choisir de larges touffes dans lesquelles on prélève un petit nombre de rhizomes munis de feuilles. Comme les rhizomes croissent à fleur de terre, il faut les déposer à même le sol et les recouvrir à peine de terreau organique.

L'asaret d'Europe (*Asarum europaeum*) est très proche parent de notre gingembre sauvage (*A. canadense*). Ses rhizomes rampants produisent de petites feuilles cordiformes d'un vert luisant; cette espèce rustique (zone 5) est offerte dans quelques pépinières (Voir photo 40, p. 141). Ses petites fleurs rougeâtres, en forme de clochettes, assez discrètes, s'épanouissent tôt au printemps au moment de la feuillaison. Elle tolère fort bien l'ombrage des grands arbres sous lesquels elle forme un tapis assez dense (distance de plantation : de 20 cm à 30 cm).

Asparagus

Encore sous-utilisée en horticulture ornementale, l'*Asparagus tenuifolius* est une espèce assez semblable à l'asperge comestible (*A. officinalis*). Cette jolie vivace rustique dans le sud-ouest du Québec (zone 5) arbore un feuillage filiforme d'un vert tendre au printemps et plus foncé au milieu de l'été (Voir photo 41, p. 141). Le plant atteint de 60 cm à 1 m de hauteur. Cette asperge ornementale a un aspect vaporeux ravissant et il est regrettable qu'aucun producteur ne se soit soucié de distribuer cette espèce. Cette vivace croît sur un sol meuble, bien drainé, humifère et profond; elle tolère mal les sols lourds et insuffisamment drainés. Un emplacement partiellement ombragé à ombragé lui convient parfaitement (distance de plantation : de 1 m à 1,30 m).

Astilbe

Toutes les espèces d'*Astilbe* conviennent aux plates-bandes légèrement ombragées qu'elles préfèrent d'ailleurs à un milieu franchement ensoleillé (Voir photo 42, p. 141). En choisissant les cultivars, vous pouvez étaler les périodes de floraison des plants, agencer les hauteurs et, évidemment, la couleur des inflorescences.

La classification botanique des astilbes comporte de 12 à 35 espèces différentes. Pour l'amateur, cette classification a peu d'importance car les nombreux cultivars offerts dans les pépinières ont remplacé avantageusement les diverses espèces botaniques. Parmi les cultivars offerts, la plupart sont désormais regroupés sous le nom d'hybrides *arendsii*. Les premiers d'entre eux ont été développés par Georg Arends au début de xxᵉ siècle, puis par de nombreux autres horticulteurs (Bloom, Theobolt, Pagels, etc.). Dans la plupart des cas, le pollen sélectionné provenait de l'*Astilbe chinensis* var. *davidii* et fut déposé sur les carpelles des *A. astilboides, A. japonica* et *A. thunbergii*. Parmi les nombreux cultivars regroupés sous cette appellation, mentionnons : '**Amethyst**', aux fleurs rose lilas à rose violacé, de 70 à 85 cm de hauteur, '**Anita Pfeifer**', aux fleurs d'un rose légèrement saumoné, de 70 à 80 cm de hauteur; '**Bergkrystall**', blanc pur, de 80 cm à 1 m de hauteur; '**Bressingham Beauty**', rose pur, de 85 cm à 1 m; '**Cattleya**', rose, de 90 cm à 1 m; '**Fanal**', rouge, de 60 à 70 cm; '**Federsee**', rose foncé; de 60 à 70 cm; '**Glut**' (syn. '**Glow**'), rouge rubis, de 70 à 80 cm; '**Spinell**', rouge, de 70 à 80 cm; '**Weisse Gloria**' (syn. '**White Gloria**'), blanc, de 70 à 80 cm.

Les cultivars offerts ne proviennent pas tous de la même souche de croisement. Certaines espèces d'astilbes demeurent toujours en vogue auprès des hybrideurs ou des sélectionneurs. L'*Astilbe chinensis* **var.** *pumila* est une plant nain d'environ 15 à 25 cm de hauteur, aux panicules rose lilas; elle fut récoltée au Tibet en 1911. La floraison se produit vers la mi-août. Cette espèce rustique (zone 4) tolère assez bien une situation ensoleillée et une courte période de sécheresse. Elle peut constituer un bon couvre-sol. On range sous cette dénomination trois cultivars intéressants : 'Finale', de 40 à 50 cm de hauteur, aux fleurs rose pâle; 'Intermezzo', de 50 à 60 cm, aux fleurs rose saumon et 'Serenade', de 40 à 50 cm, d'un rose foncé presque rouge.

Originaire de Chine et connue en Europe depuis 1910, l'*Astilbe chinensis* **var.** *taquetii* est une variété assez robuste qui arbore de longues panicules effilées dont trois clones sont facilement accessibles : 'Purpurkerze' (syn. 'Purple Candle'), aux fleurs rose pourpre, plant de 85 cm à 1 m de hauteur; 'Purpurlanze' (syn. 'Purple Lance'), aux fleurs rose violacé, plant de 85 cm à 1 m de hauteur et 'Superba', aux fleurs rose foncé, plant de 85 cm à 1 m de hauteur (Voir photo 45, p. 142).

L'*Astilbe japonica*, introduit en Europe dès 1830, est l'un des géniteurs du groupe des hybrides *Japonica*. Dans ce groupe, on recense des cultivars bien connus et fort appréciés pour leurs panicules denses : 'Bremen', aux fleurs rose foncé, plant de 50 à 60 cm de hauteur; 'Deutschland', blanc pur, de 50 à 60 cm; 'Europa', rose pâle, de 60 à 70 cm; 'Koblenz', rouge carmin, de 60 à 80 cm; 'Mainz', rose violacé, de 50 à 60 cm; 'Montgomery', rouge foncé, de 50 à 60 cm; 'Red Sentinel', rouge foncé, de 50 à 60 cm.

Originaire du Japon et introduit en 1894, l'*Astilbe simplicifolia* fut ultérieurement croisé avec des *A. x arendsii* pour constituer le groupe des hybrides *Simplicifolia*. Il séduira certainement plus d'un amateur par ses gracieuses inflorescences portées sur des hampes florales relativement courtes. Parmi les très beaux cultivars, nous conseillons 'Aphrodite', de 30 à 45 cm de hauteur, aux fleurs rose saumon.

L'*Astilbe thunbergii* fut importé de Chine et du Japon en 1876. Si l'espèce botanique est peu utilisée, les quelques cultivars proposés ont la cote d'amour avec leurs longues panicules très effilées et arquées : 'Betsy Cuperus', de 80 cm à 1,20 m de hauteur, aux fleurs rose pâle; 'Straussenfeder' (syn. 'Ostrich Plume'), de 60 à 85 cm de hauteur et fleurs rose saumon pâle; 'Professor Van der Weilen', de 85 cm à 1,20 m de hauteur et ses fleurs d'un blanc pur (Voir photo 44, p. 142).

ASTILBE

CULTIVAR	TYPE	HAUTEUR	COULEUR INFLORESCENCE
HÂTIF			
'Queen of Holland'	japonica	35-50 cm	rose lavande
'Rheinland'	japonica	50-60 cm	rose pâle
DE HÂTIF À MI-SAISON			
'Amethyst'	arendsii	70-85 cm	rose lilas
'Bonn'	japonica	50-60 cm	rose
'Bremen'	japonica	50-60 cm	rose foncé
'Cologne'	arendsii	55-70 cm	rose foncé
'Deutschland'	japonica	50-60 cm	blanc
'Diamant'	arendsii	70-80 cm	blanc
'Dusseldorf'	arendsii	50-60 cm	carmin
'Etna'	japonica	60-70 cm	rouge foncé
'Europa'	japonica	60-70 cm	rose pâle
'Fanal'	arendsii	55-60 cm	rouge sang
'Federsee'	arendsii	60-70 cm	rose foncé
'Gertrud Brix'	arendsii	60-80 cm	rouge foncé
'Koblenz'	japonica	60-80 cm	rouge carmin
'Mainz'	japonica	50-60 cm	rose
'Red Sentinel'	japonica	60-80 cm	rouge foncé
'W.E. Gladstone'	japonica	50-60 cm	blanc crème
MI-SAISON			
'Anita Pfeifer'	arendsii	70-80 cm	rose saumon
'Bonanza'	arendsii	60-70 cm	rose foncé

ASTILBE

CULTIVAR	TYPE	HAUTEUR	COULEUR INFLORESCENCE
'Bressingham Beauty'	arendsii	85-100 cm	rose pur
'Bridal Veil'	arendsii	45-60 cm	blanc
'Buchanan'	simplicifolia	15-20 cm	blanc crème
'Bumalda'	simplicifolia	30-45 cm	blanc rosé
'Ceres'	arendsii	50-60 cm	rose foncé
'Crimson King'	arendsii	70-80 cm	rouge écarlate
'Elizabeth Bloom'	arendsii	50-60 cm	rose foncé
'Erica'	arendsii	60-70 cm	rose clair
'Gloria Purpurea'	arendsii	60-75 cm	rose pourpre
'Granaat'	arendsii	60-70 cm	rose foncé
'Hyazinth'	arendsii	60-80 cm	rose lilas
'Irrlicht'	japonica	50-70 cm	blanc rosé
'Liliput'	crispa	15-20 cm	rose saumon
'Mont Blanc'	arendsii	50-60 cm	blanc
'Peach Blossom'	arendsii	55-60 cm	rose pâle
'Perkeo'	crispa	10-15 cm	rose foncé
'Red light'	arendsii	50-60 cm	rouge foncé
'Reine des lacs'	arendsii	65-75 cm	rose saumon
'Saxatilis'	glaberrima	10-15 cm	rose pâle
'Snowdrift'	arendsii	60-70 cm	blanc
'Spinell'	arendsii	70-80 cm	rouge
'Venus'	arendsii	70-80 cm	rose pâle
'Weisse Gloria'	arendsii	60-70 cm	blanc pur

ASTILBE

CULTIVAR	TYPE	HAUTEUR	COULEUR INFLORESCENCE
DE MI-SAISON À TARDIF			
'Aphrodite'	simplicifolia	30-45 cm	rose saumon
'Atrorosea'	simplicifolia	40-50 cm	rose foncé
'Avalanche'	arendsii	70-80 cm	blanc
'Bergkrystall'	arendsii	100 cm	blanc pur
'Betsy Cuperus'	thunbergii	80-120 cm	rose pâle
'Bronze Queen'	simplicifolia	50-60 cm	rose
'Carnea'	simplicifolia	15-20 cm	rose pâle
'Cattleya'	arendsii	100 cm	rose
'Dukellachs'	simplicifolia	40-50 cm	rose
'Feuer' ('Fire')	arendsii	60-70 cm	rouge
'Glut' ('Glow')	arendsii	70-80 cm	rouge rubis
'Gnome'	simplicifolia	15-20 cm	rose
'Greta Pungel'	arendsii	75-80 cm	rose pâle,
'Hennie Graafland'	simplicifolia	40-50 cm	rose pâle
'Intermezzo'	chinensis	50-60 cm	rose saumon
'Lilli Goos'	arendsii	70-80 cm	rose
'Litchfield Lady'	taquetii	70-80 cm	rose
'Montgomery'	japonica	50-60 cm	rouge foncé
'Ostrich Plume'	thunbergii	60-85 cm	rose saumon
'Praecox Alba'	simplicifolia	30-45 cm	blanc
'Prof. van der Wielen'	thunbergii	85-120 cm	blanc
'Pumila'	chinensis	15-25 cm	rose lilas

ASTILBE

CULTIVAR	TYPE	HAUTEUR	COULEUR INFLORESCENCE
'Spartan'	arendsii	50-60 cm	rouge foncé
'Sprite'	simplicifolia	30-40 cm	rose pâle
'Vesuvius'	japonica	55-65 cm	rouge
'Vision'	chinensis	30-40 cm	pourpre
'William Bucchanan'	simplicifolia	40-50 cm	rose pâle
TARDIF			
'Bronze Elegans'	simplicifolia	30-45 cm	rose foncé
'Inshriach Pink'	simplicifolia	25-30 cm	rose pâle
'King Albert'	chinensis	50-60 cm	blanc
'Lilliput'	crispa	20-25 cm	rose moyen
'Purpurkerze'	taquetii	85-100 cm	rose pourpre
'Purpurlanze'	taquetii	85-100 cm	rose pourpre
'Salland'	davidii	90-160 cm	magenta
'Serenade'	chinensis	40-50 cm	rose-rouge
'Superba'	taquetii	85-100 cm	rose pourpre
TRÈS TARDIF			
'Finale'	chinensis	40-50 cm	rose pâle
'Veronica Klose'	chinensis	30-40 cm	rose pourpre

Astilboides

Autrefois connu sous le nom scientifique de *Rodgersia tabularis*, l'*Astilboides tabularis* est une plante vivace fort étonnante qui mérite certainement une place de choix dans un jardin ombragé (Voir photo 46, p 142). Originaire de la Mandchourie et du nord de la Corée, rustique (zone 5) dans le sud-ouest du Québec, l'*A. tabularis* porte de grosses feuilles peltées*, aux bords plus ou moins découpés, sur un pétiole de 50 à 80 cm de hauteur. Vers la mi-juin ou à la fin juin, une hampe florale émerge du rhizome et s'élève de 90 cm à 1,50 m de hauteur en arborant un racème dense de petites fleurs blanc crème. Cette plante exige un sol profond, riche en matière organique, humifère, et un emplacement partiellement à très ombragé. Bien qu'elle préfère une terre à fort pourcentage d'humidité, elle ne tolère pas les sols détrempés en permanence (distance de plantation : de 75 cm à 1 m).

Astriantia

Les radiaires (*Astrantia*) gagneraient à être mieux connues des amateurs. Deux espèces rustiques (zone 3b) sont offertes dans les bonnes pépinières, l'*Astriantia carniolica* et l'*A. major*. Ces plantes de la famille de la carotte (apiacées, autrefois les ombellifères) sont originaires de l'Europe. Leurs inflorescences sont différentes de celles des autres ombellifères; les petites ombelles sont entourées de bractéoles pétaloïdes, blanches, verdâtres, rosées ou rouges selon les cultivars. Ces inflorescences sont portées sur des tiges feuillées d'environ 35 à 70 cm de haut, généralement ramifiées au sommet. Celles-ci s'épanouissent vers la fin juin ou le début de juillet. L'*Astriantia carniolica* est plus difficile à obtenir dans les pépinières du Québec; elle diffère de l'*A. major* par des inflorescences aux bractéoles plus courtes, plutôt verdâtres, et même rouges pour le cultivar '**Rubra**'. On trouve quelques cultivars intéressants d'*Astrantia major* : '**Alba**', aux bractéoles blanches; '**Rosea**', aux bractéoles d'un rose

---

* feuille peltée : feuille dont le pétiole est fixé au milieu du limbe formant une sorte de « parasol ».

moyen (Voir photo 47, p. 142); '**Rosensymphonie**', d'un rose foncé; '**Rubra**', aux tiges poupre et aux bractéoles rouges. Il existe également un cultivar à feuillage panaché, l'*Astrantia major* '**Sunningdale Variegated**', aux limbes bordés de jaune; cette coloration très prononcée s'estompe durant la saison de croissance (distance de plantation : de 40 à 50 cm).

Brunnera

Le myosotis du Caucase (***Brunnera macrophylla***) est une vivace apparentée au véritable myosotis, ce qui explique son nom vulgaire. La plante se distingue des *Myosotis* par des feuilles cordiformes à ovées-lancéolées nettement plus grandes. Le *Brunnera* forme une touffe d'environ 30 à 50 cm de hauteur et d'un diamètre à peine plus grand. Les petites fleurs bleu ciel sont portées sur une cyme paniculée très ramifiée au-dessus du feuillage. Celles-ci s'ouvrent tôt au printemps, dès la mi-mai dans le sud-ouest du Québec. Rustique (zone 5), cette vivace préfère croître sur un emplacement mi-ombragé en sol meuble, riche en matière organique et toujours frais. Deux cultivars à feuillage panaché sont connus, mais encore difficiles à obtenir : '**Variegata**', aux feuilles marginées de blanc (Voir photo 48, p. 143), et '**Hadspen Cream**'. Ce dernier est issu d'un croisement entre les *Brunnera siberica* et *B. macrophylla*, et arbore des feuilles irrégulièrement et généralement plus finement ourlées de blanc crème (distance de plantation : de 40 à 60 cm).

Camassia

Le genre *Camassia* est méconnu des amateurs de plantes vivaces. Il renferme pourtant des espèces très décoratives et rustiques (zone 5). Les deux espèces les plus rustiques sont ***Camassia cusickii*** (Voir photo 49, p. 143) et *C. **leichtlinii***. Assez ressemblantes, ces plantes bulbeuses, encore peu distribuées au Québec, s'apparentent au genre *Scilla*. Les feuilles étroites, de 60 à 80 cm de longueur, naissent du bulbe tôt au printemps; peu de temps après, une hampe florale se dresse à une hauteur de 80 cm à 1 m et porte une grappe de petites fleurs bleues à bleu violacé (distance de plantation : 20 cm). Quelques cultivars de *C. leichtlinii* sont dignes de mention : '**Alba**', aux fleurs blanc crème; '**Atrocaerulea**', d'un bleu violacé; '**Semi Plena**', aux fleurs doubles.

Campanula

Plusieurs espèces du genre *Campanula* supportent de vivre en milieu légèrement ombragé ou mi-ombragé, entre autres les *C. lactiflora*, *C. latiloba*, *C. latifolia*, *C. persicifolia*, *C. punctata* et *C. takesimana* (Voir photo 53, p. 144).

Plante des forêts du Caucase, le ***Campanula lactiflora*** est probablement l'espèce la plus intéressante pour la plate-bande en milieu mi-ombragé; elle déploie une touffe de tiges feuillées d'environ 80 cm à 1,50 m de hauteur (Voir photo 50, p. 143). Les feuilles sont oblongues-ovales à oblongues. Les fleurs campanulées sont rassemblées en panicules terminales au sommet des tiges et s'épanouissent de la fin de juin à la fin de juillet. La couleur des fleurs s'échelonne du bleu pâle au rose pâle en passant par le blanc. Le cultivar '**Loddon Anna**' attire l'attenton par son abondante floraison de couleur rose pâle; '**Prichard's Variety**' est un plant plus dense de 75 cm de hauteur, aux fleurs d'un ton bleu pourpre foncé, et '**Alba**', se garnit de fleurs blanc crème à blanc verdâtre (distance de plantation : de 40 à 50 cm). Vers la fin de la période de floraison, on peut tailler l'inflorescence sous les dernières fleurs pour relancer une seconde floraison et, de cette manière, la prolonger pendant 10 à 12 semaines.

Venu de l'Europe et du Caucase, le ***Campanula latifolia*** est une espèce rustique (zone 4), de 60 cm à 1 m de hauteur; les feuilles sont ovales à cordées, aux marges doublement dentées. Les fleurs, des clochettes très ouvertes d'un bleu violacé, sont groupées en épis au sommet des tiges. Elles s'ouvrent vers la fin juin. Deux cultivars sont couramment en vente : '**Alba**', aux fleurs blanches (Voir photo 51, p. 143) et '**Macrantha**' à fleurs plus larges et d'un bleu profond (distance de plantation : de 40 à 50 cm).

Le ***Campanula latiloba***, connu autrefois sous le nom scientifique de

C. persicifolia ssp. *sessiliflora*, a une certaine ressemblance morphologique avec *C. persicifolia*. Les tiges de 80 cm à 1 m de hauteur portent des feuilles très étroites. Les fleurs campanulées d'un bleu violacé, sessiles, s'épanouissent à la fin juin sur de longs épis au sommet des tiges. Parmi quelques cultivars sur le marché, mentionnons 'Alba', qui se pare de fleurs blanches, et 'Hidcote Amethyst', à fleurs roses teintées de mauve.

Cette espèce rustique (zone 5) supporte de croître en plein soleil si le sol est humifère et légèrement humide, mais elle préfère vivre en milieu légèrement ombragé ou mi-ombragé (distance de plantation : de 30 à 40 cm).

Très décorative, la campanule à fleurs de pêcher (**Campanula persicifolia**) s'orne de jolies fleurs en forme de clochettes ouvertes, portées sur une tige feuillée de 50 à 80 cm de hauteur; les feuilles sont très étroites (Voir photo 52, p. 144). Elle fleurit de la mi-juin à la fin juillet. Cette espèce convient parfaitement à une plate-bande au sol meuble, humifère, riche en matière organique et mi-ombragée. Sa rusticité (zone 4b) la rend compatible avec le climat du sud-ouest du Québec. Plusieurs cultivars sont recensés, mais ils sont plus ou moins offerts en pépinière : 'Grandiflora', aux fleurs bleu foncé; 'Grandiflora Alba', aux fleurs blanches; 'Telham Beauty', aux fleurs bleu de Chine (distance de plantation : de 35 à 45 cm).

La campanule ponctuée (**Campanula punctata**) est une espèce récemment offerte en pépinière. Elle est d'un grand intérêt pour les plates-bandes mi-ombragées. Cette espèce de 30 à 80 cm de hauteur présente une touffe de feuilles basilaires ovales-cordiformes d'où s'élèvent des tiges à feuilles lancéolées et dentées. Ces tiges feuillées portent au sommet des fleurs tubulaires pendantes dont la couleur varie du blanc crème au crème légèrement rosé, ou rouge dans le cas du cultivar 'Rubra'. Celles-ci s'épanouissent dès la mi-juin. Facile à cultiver et rustique (zone 5) dans le sud-ouest du Québec, la campanule ponctuée réclame un sol profond, humifère et bien drainé (distance de plantation : de 35 à 45 cm). Cette espèce a été croisée par la suite avec le *Campanula latifolia* pour produire deux hybrides intéressants, quoique rares en pépinière : *Campanula* 'Burghaltii' et *C.* 'Van Houttei'

Très peu connue, l'espèce **Campanula takesimana** est désormais dans les bonnes pépinières du Québec. Originaire de Corée et du Japon, cette campanule rustique (zone 5), assez semblable à la campanule ponctuée (*C. punctata*), possède des tiges feuillées, plus ou moins érigées, d'environ 40 à 50 cm de hauteur; les fleurs tubulaires sont d'un blanc rosé à un blanc grisâtre avec une marque circulaire rougeâtre. La floraison débute en juillet et perdure jusqu'à la mi-septembre. Cette vivace exige un emplacement partiellement ombragé et un sol sablonneux ou humifère bien drainé (distance de plantation : de 35 à 45 cm).

Cardamine

Autrefois connue sous le nom scientifique de *Dentaria digitata*, la *Cardamine pentaphyllos* a beaucoup de ressemblance avec les espèces indigènes *Cardamine canadensis* et *C. diphylla*. Originaire d'Europe, la **Cardamine pentaphyllos** est une espèce rustique (zone 5) à feuilles digitées et dentées, haute de 20 à 30 cm, dont la petite hampe florale s'orne, à la fin mai, d'un racème de fleurs à quatre pétales roses (distance de plantation : 20 cm). Elle croît rapidement et forme un tapis assez dense en sous-bois ombragé. À la mi-saison, le feuillage se dessèche et disparaît. Comme elle est difficile à obtenir, les amateurs pourraient lui substituer notre espèce indigène.

La **Cardamine diphylla** (syn. *Dentaria diphylla*) est une plante indigène de l'est de l'Amérique du Nord (Voir photo 54, p. 144). On la connaît également sous les noms populaires de carcajou ou de dentaire à deux feuilles. Elle convient parfaitement comme couvre-sol dense. C'est une plante vivace, de 15 à 30 cm de hauteur, qui se propage par un rhizome blanc et charnu. Celui-ci, comestible, est parfois utilisé comme condiment dans une salade. Son goût rappelle celui du raifort. Du rhizome s'élance une tige feuillée portant deux feuilles composées de trois folioles. La grappe de petites fleurs blanches à quatre pétales se développe en mai par-dessus le feuillage. Très rustique (zone 4), cette plante nécessite un sol humifère, profond et toujours frais. Elle supporte une brève période d'immersion au printemps (distance de plantation : 20 cm).

Carex

Originaire de l'Amérique du Nord, la laîche de Gray (**Carex grayi**) est une espèce qui s'accommode assez bien d'un emplacement mi-ombragé (Voir photo 55, page 144). Cette espèce rustique (zone 4) formant une touffe plus moins dense d'environ 30 à 40 cm de diamètre s'élève à une hauteur de 30 à 70 cm. En juillet, au sommet du feuillage, apparaissent des fruits gonflés réunis en épis dont l'aspect général rappelle un cône. En milieu naturel, ce carex croît dans les prairies humides ou en bordure des fossés; il supporte mal un sol au drainage excessif. Une terre meuble, riche en matière organique et fraîche, en milieu ensoleillé ou mi-ombragé lui convient parfaitement (distance de plantation : de 35 à 40 cm).

La laîche du Japon à feuillage panaché (**Carex morrowii 'Variegata'**) est une autre espèce de milieu humide qui se satisfait d'un emplacement légèrement ombragé à mi-ombragé à condition que le sol soit meuble et toujours frais (Voir photo 56, page 145). Cependant, elle rivalise assez mal avec le feutre racinaire des grands arbres qui a tôt fait de lui soutirer toute l'humidité nécessaire à sa croissance. Ce carex rustique (zone 5b) s'orne d'un séduisant feuillage aux feuilles étroitement rubanées d'un blanc crème bordé de vert. Le feuillage forme une touffe de 30 à 45 cm de diamètre et de 20 à 30 cm de hauteur. Comme il atteint dans le sud-ouest du Québec sa limite septentrionale de rusticité, il vaut mieux lui accorder une protection hivernale (distance de plantation : de 40 à 50 cm).

Le carex plantain (**Carex plantaginea**) est une espèce indigène du Québec que l'on observe sur les sols meubles et profonds des érablières. Ce carex rustique (zone 4) produit des feuilles étroites, vert foncé, qui forment une touffe plus ou moins dense d'environ 20 à 25 cm de diamètre. plutôt étalée qu'érigée. Les fleurs assez discrètes sont groupées en épis sur de courtes hampes florales rougeâtres de 15 à 25 cm de hauteur. Celles-ci se développent tôt au printemps. L'espèce réclame un sol meuble, humifère et un emplacement mi-ombragé à ombragé (distance de plantation : de 25 à 30 cm).

Chelone

Originaire de l'est de l'Amérique du Nord, le **Chelone obliqua** vit sur les sols humides calcaires des bois ouverts ou de l'orée des bois (Voir photo 57, page 145). Cette espèce tolère très bien un milieu partiellement ombragé à mi-ombragé. Ses tiges feuillées s'érigent sur 60 à 85 cm et portent des épis terminaux denses, constitués de petites fleurs tubulaires, bilabiées, de couleur blanche, rose pâle ou rose moyen. La floraison débute à la mi-août et se prolonge jusqu'au début d'octobre. Quelques cultivars sont sur le marché : '**Alba**', aux fleurs blanches; '**Preacox Nana**', un plant nain de 30 cm de hauteur, aux fleurs d'un rose très foncé; var. *speciosa*, aux feuilles étroites d'une jolie teinte rosâtre et aux fleurs rose foncé (distance de plantation : de 40 à 60 cm).

Chimaphila

Espèce indigène du Québec qui croît dans les forêts de conifères, la chimaphile à ombelles (**Chimaphila umbellata**) est une jolie plante vivace assez courte, de 10 à 20 cm de hauteur, aux feuilles semi-persistantes, verticillées, qui porte en juin une ombelle lâche et pendante formée de deux à sept fleurs aux pétales d'un blanc verdâtre ou rose pâle (Voir photo 58, page 145). Cette espèce tolère une période de sécheresse; elle croît sur un sol meuble, au pH acide, très bien drainé et en milieu mi-ombragé. Sa limite septentrionale de rusticité est établie à la zone 3a (distance de plantation : de 15 à 20 cm).

Chrysogonum

Le genre *Chrysogonum* ne renferme qu'une seule espèce, le **C. virginianum**, originaire de l'est des États-Unis (Voir photo 59, page 145). Rustique (zone 5), cette vivace aux tiges feuillées, plus ou moins érigées, ramifiées, s'élève sur 20 à 30 cm et s'étale sur 25 à 35 cm. Elle porte, au sommet de ses tiges, des fleurs jaunes à cinq pétales. La floraison débute tôt en juin, puis se renouvelle par intervalles jusqu'à la mi-septembre. Elle est utile à titre de plante vivace couvre-sol. Elle requiert un sol humifère, légèrement humide de préférence, et un emplacement mi-ombragé à ombragé (distance de plantation : de 15 à 20 cm).

Cimicifuga

Le genre *Cimicifuga* compte six espèces familièrement nommées cierges d'argent, tout indiquées pour des plates-bandes mi-ombragées à ombragées : *Cimicifuga acerina, C. americana, C. dahurica, C. racemosa, C. ramosa* et *C. simplex*. En introduisant deux ou trois espèces différentes, on peut entretenir une floraison qui commence en juillet avec le *Cimicifuga racemosa*, se poursuit en août avec les *C. acerina, C. americana* et *C. dahurica*, en septembre avec le *Cimicifuga ramosa* et s'achève à la mi-octobre avec le *Cimicifuga simplex*. Les *C. americana, C. racemosa, C. ramosa* et *C. simplex* arborent des feuilles composées, bipinnatifides; celles du *C. acerina* sont cordiformes et le *C. dahurica* présente des feuilles palmatilobées. Toutes ces espèces se caractérisent par de longs racèmes d'épis formés de minuscules fleurs blanches qui s'élèvent au-dessus du feuillage. Faciles à cultiver, ces vivaces nécessitent un sol profond, humifère, frais, et un emplacement mi-ombragé à ombragé. Elles s'associent très bien aux *Aconitum*, aux anémones d'automne (*Anemone hupehensis, A. vitifolia* et *A. japonica*), aux différentes fougères, aux hostas et aux *Rodgersia*.

Le **Cimicifuga acerina** est l'une des jolies espèces du genre avec ses feuilles cordiformes analogues à celles des érables (Voir photo 61, page 146). Son port est plus compact que celui des autres espèces. Le feuillage et les inflorescences s'élèvent sur 60 à 80 cm de hauteur. Celles-ci, peu ramifiées, se développent vers la fin de juillet ou le début d'août. Dans certains ouvrages, cette espèce, encore difficile à obtenir dans les pépinières, porte le nom scientifique de *C. japonica* var. *acerina*. Sa rusticité (zone 5) convient au sud-ouest du Québec (distance de plantation : de 50 à 60 cm).

Originaire de l'Amérique du Nord, le ***Cimicifuga americana*** est d'une excellente rusticité (zone 3b). Ce cierge d'argent se dresse à une hauteur qui varie de 80 cm à 1,20 m. Les épis ramifiés s'épanouissent vers la mi-août et la floraison se prolonge jusqu'au début de septembre (distance de plantation : de 60 à 80 cm).

Originaire du sud-ouest de la Sibérie et du nord du Japon, le ***Cimicifuga dahurica*** est une autre espèce rustique (zone 5 et probablement 4b) qui pourrait faire honneur à une plate-bande mi-ombragée à ombragée. Ce cierge d'argent est dioïque : les fleurs mâles et les fleurs femelles sont sur des plants différents. L'inflorescence des plants mâles est plus ornementale que celle des plants femelles, mais on ne le constate que lors de leur floraison simultanée. L'inflorescence s'élève vers la fin d'août à une hauteur de 1,50 m à 2 m et se caractérise pas des épis effilés aux minuscules fleurs blanches (distance de plantation : de 60 à 80 cm).

Le ***Cimicifuga racemosa*** (Voir photo 60, page 146) est une autre espèce originaire de l'Amérique du Nord parfaitement rustique (zone 3b) au sud-ouest du Québec. De très grande taille, le feuillage et les inflorescences de cette vivace peuvent atteindre 1,80 m de hauteur. Les hampes florales, ramifiées au sommet, portent des épis de fleurs blanches. Une fois bien établi, ce cierge d'argent peut supporter une courte période de sécheresse. Sa floraison, hâtive pour le genre, s'épanouit vers la mi-juillet. La variété *cordifolia* arbore des folioles cordiformes différentes de l'espèce (distance de plantation : de 60 à 80 cm).

D'origine japonaise, le ***Cimicifuga ramosa*** est une espèce vigoureuse, rustique (zone 4b), au feuillage très découpé semblable à celui des actées (*Actaea*). Les hampes florales se dressent vers la fin d'août. L'espèce est actuellement délaissée au profit de deux cultivars particulièrement décoratifs : ʻ**Atropurpurea**ʼ au feuillage pourpre (Voir photo 62, page 146) et ʻ**Brunette**ʼ au feuillage d'un pourpre très foncé et doté d'épis de fleurs d'un blanc rosé (distance de plantation : de 60 à 80 cm).

Le *Cimicifuga simplex* est l'espèce dont la floraison est la plus tardive. Le cultivar '**White Pearl**', offert couramment dans les pépinières, parvient difficilement à fleurir sous notre latitude tant l'épanouissement de ses hampes florales se fait tard dans l'année. Il n'est pas rare de voir avorter la floraison à la suite d'une forte gelée automnale. Ce cierge d'argent fleurit quelquefois lorsque la température clémente persiste jusqu'à la mi-octobre. L'inflorescence, une panicule très lâche de longs épis effilés, s'élève sur des hampes florales de 1,20 m à 1,50 m de hauteur. Cette espèce, quoique rustique (zone 5) ne convient guère à nos plates-bandes (distance de plantation : de 60 à 80 cm).

Cirsium

Le genre *Cirsium* est surtout connu des amateurs pour ses espèces envahissantes et désagréables, notamment le chardon des champs (*C. arvense*), au feuillage très épineux et le chardon vulgaire (*C. vulgare*). D'autres espèces, tolérant un emplacement mi-ombragé, ont ce pendant un certain intérêt ornemental, tels les *Cirsium ioyensis* et *C. rivulare*.

Le ***Cirsium ioyensis***, peu connu de la plupart des amateurs, est cultivé avec succès dans le jardin du sous-bois du Jardin botanique de Montréal. Ce chardon porte une touffe de feuilles épaisses, au limbe découpé. Vers la mi-août ou la fin d'août, du centre du feuillage s'élèvent, sur 80 à 1,20 m de hauteur, des hampes florales ramifiées portant des capitules penchés de fleurs roses. Cette vivace rustique (zone 5) réclame un sol meuble, profond et frais (distance de plantation : de 50 à 60 cm).

Le chardon des rivages (***Cirsium rivulare***) croît sur des sols non calcaires, humides ou périodiquement inondés, riches en matière organique (Voir photo 63, p. 146). Cette espèce rustique (zone 4b) forme une touffe de feuilles très découpées qui s'étalent à partir d'un rhizome traçant. Du feuillage s'élèvent, vers la fin de juin ou le début de juillet, de longues hampes florales ramifiées au sommet, d'environ 1,25 m à 1,80 m de hauteur. Les capitules se développent au sommet et portent des fleurs de couleur rose foncé à rouge pur pour le cultivar 'Atropurpureum'. Ce chardon très décoratif réclame un emplacement partiellement ombragé. Il supporte le plein soleil si le sol est maintenu humide. Une protection hivernale s'impose dans le sud-ouest du Québec (distance de plantation : de 70 à 90 cm).

Clintonia

Les feuilles de la clintonie boréale (**Clintonia borealis**) ressemblent vaguement à celles de l'ail des bois (*Allium tricoccum*) ou du muguet (*Convallaria majalis*), mais elles sont cependant plus nombreuses et plus épaisses (Voir photo 64, p. 146). Les fleurs jaunes sont groupées au sommet d'un pédoncule qui surplombe le feuillage. Cette espèce très rustique (zone 2b) préfère les sols frais et croît dans les sous-bois de nos érablières mixtes ou dans les bois de conifères. Dans un jardin, il faut réserver à la clintonie boréale un emplacement mi-ombragé à ombragé sur un sol humifère et toujours frais. Le substrat doit être acide (pH 4 à 6). La méthode de multiplication la plus facile demeure le semis. Les graines sont récoltées dès maturation des fruits noirâtres à la fin de l'été. On les sème dans un coin de la plate-bande soigneusement identifié pour les protéger de binages intempestifs. La plupart des semences germeront au printemps suivant, mais quelques-unes peuvent lever au cours des années suivantes (distance de plantation : de 15 à 20 cm).

Convallaria

Le muguet (**Convallaria majalis**) est une plante vivace, très rustique (zone 3), assez envahissante – il faut ceinturer leur emplacement à l'aide d'une bordure de plastique –, au rhizome traçant d'où émergent des feuilles oblongues-elliptiques d'un beau vert moyen (Voir photo 66, p. 147). Les petites fleurs blanches en forme de clochette s'épanouissent en mai sur une courte hampe florale de 12 à 20 cm de hauteur. Le muguet peut former un couvre-sol dense, car il s'installe rapidement et étouffe les plantes herbacées voisines. Si dans certains cas, cette caractéristique est intéressante, on doit reconnaître qu'il s'agit d'une nuisance, la plupart du temps. On en connaît plusieurs cultivars dont tous ne sont pas offerts dans les pépinières du Québec : 'Aureo-Variegata' et 'Variegata', aux feuilles panachées de blanc et de jaune; 'Grandiflora' et 'Fortunel', aux feuilles et aux fleurs plus larges; 'Rosea', à fleurs roses; 'Plena', à fleurs blanches doubles (distance de plantation : de 20 à 25 cm). Prenez garde! tout le plant renferme une substance qui est toxique lorsqu'on l'ingère.

Cornus

Le cornouiller du Canada (**Cornus canadensis**), appelé populairement le quatre-temps, prospère dans la zone qui s'étend de l'érablière à bouleau jaune jusqu'à la forêt coniférienne (Voir photo 65, p. 147). C'est une petite plante très rustique (zone 2a), subligneuse à rhizomes étalés et ramifiés. De ces rhizomes s'élèvent, sur 10 à 15 cm de hauteur, des pousses stériles à quatre feuilles verticillées ou des pousses florifères à six feuilles verticillées. Les petites fleurs blanc verdâtre, groupées sur un pseudo-capitule encerclé de quatre bractées blanches, sont portées sur une courte hampe florale au-dessus du feuillage. Cette plante indigène exige un sol humifère, meuble et frais sur un emplacement mi-ombragé à ombragé (distance de plantation : de 20 à 25 cm) et le terreau de plantation doit être acide (pH 4 à 5,5). Le feutre racinaire d'un couvert de résineux ne contrarie pas sa croissance pour autant que le sol reste frais. Le cornouiller du Canada peut être multiplié facilement par semis ou par division des rhizomes. Les graines, provenant des fruits qui mûrissent en automne, seront semées dans un substrat organique et devront subir une période de stratification au froid d'environ 8 à 10 semaines avant de pouvoir germer. La division des rhizomes se fait tôt au printemps ou tard à l'automne. On prélève des segments de 15 cm de longueur dont chacun doit porter au moins un bourgeon de feuille.

Corydalis

Le corydale bulbeux (**Corydalis bulbosa**) est une petite espèce vivace et rustique (zone 5), d'à peine 10 à 15 cm de hauteur. Il ressemble fort au *Corydalis cava* et au *C. transylvanica*. Ces corydales printaniers forment, lorsqu'ils ne sont pas perturbés, un tapis assez dense dans les sous-bois. En mai, ils portent de petits épis de fleurs de couleur rose à violacé. Leur feuillage diparaît au milieu de l'été. Les petits tubercules affleurent à la surface du sol et il est préférable d'identifier leur emplacement pour éviter de les détruire par un binage superficiel. Le cultivar '**George Baker**' arbore des fleurs de couleur saumon à rouge orangé. Ces corydales bulbeux nécessitent un sol humifère, bien drainé et meuble.

Le *Corydalis flexuosa*, rustique (zone 5b) dans le sud-ouest du Québec, est une espèce très ornementale qui est promise à une plus large diffusion. Ce corydale au feuillage profondément et finement découpé, d'un beau vert glauque, a une hauteur d'environ 30 à 50 cm et autant en diamètre, et il arbore de jolies petites grappes de fleurs d'un bleu moyen par-dessus son feuillage. La floraison débute à la fin de mai et se prolonge jusqu'à la mi-juillet. Le plant croît en milieu mi-ombragé et sur un sol meuble et frais. Les cultivars '**Blue China**' et '**Blue Panda**'(Voir photo 67, p. 147) sont désormais distribués par quelques firmes spécialisées dans les nouveautés (distance de plantation : de 40 à 50 cm). On recommande de lui fournir une protection hivernale.

Le *Corydalis lutea* est une espèce rustique (zone 4b) originaire des contreforts des Alpes, qui s'est acclimatée dans tous les jardins ornementaux d'Europe (Voir photo 68, p. 147). Cette vivace au feuillage dense et profondément découpé, de 20 à 40 cm de hauteur, exhibe de la fin de mai au début de septembre des racèmes axillaires de fleurs tubulaires jaune or. L'espèce se ressème facilement pour le plus grand plaisir des amateurs. Elle peut croître en milieu pleinement ensoleillé s'il est constamment maintenu humide, mais elle préfère une plate-bande mi-ombragée, au sol profond et humifère (distance de plantation : de 25 à 40 cm).

Originaire d'Asie, le *Corydalis nobilis* est une vivace encore difficile à obtenir dans les pépinières du Québec (Voir photo 69, p. 147). Cette plante robuste, aux tiges feuillées joliment découpées d'un vert moyen à vert glauque a environ 60 cm de hauteur et de 50 à 70 cm de diamètre. Les fleurs tubulaires blanches et jaunes sont groupées en grappes denses au sommet des tiges feuillées. Elles s'épanouissent dès la fin de mai. C'est une vivace rustique (zone 5a) qui réclame un sol bien drainé, meuble et riche en matière organique (distance de plantation : de 80 cm à 1 m). Elle ne tolère pas les sols lourds et mal drainés. Son feuillage disparaît au courant de l'été.

Cyclamen

Atteignant sa limite septentrionale de rusticité (zone 5) dans la région de Montréal, le cyclamen d'Europe (**Cyclamen purpurascens**) a très certainement droit de cité dans une plate-bande mi-ombragée à ombragée du jardin (Voir photo 70, p. 148). Il nécessite une certaine protection hivernale sous la forme d'un épais tapis de feuilles. Des tubercules arrondis sort une touffe de feuilles cordiformes ou réniformes d'un vert profond, marquées de vert argenté sur les nervures et les marges du limbe. Le feuillage s'érige sur 20 cm de hauteur et s'étale d'autant. Les fleurs d'un rose moyen, au parfum prononcé, s'élèvent au-dessus du feuillage. La floraison débute à la fin de juin et se renouvelle jusqu'à la mi-septembre. Ce cyclamen exige un sol très bien drainé, profond et riche en matière organique (distance de plantation : de 25 à 35 cm).

Darmera

Apparenté aux *Rodgersia*, le **Darmera peltata** est également connu sous le nom scientifique de *Peltiphyllum peltatum* (Voir photos 71 et 72, p. 148). C'est une vivace de milieu frais. Les feuilles peltées de 30 à 60 cm de diamètre, assez semblables à celles de l'*Astilboides tabularis* (avec laquelle on la confond parfois), sont portées sur de longs pétioles de 40 à 80 cm de hauteur. L'inflorescence se développe tôt au printemps au moment de la feuillaison. Les fleurs réunies en cyme arrondie s'élèvent sur une hampe florale d'environ 30 à 70 cm de hauteur. Comme cette espèce atteint sa limite septentrionale de rusticité (zone 5) dans le sud-ouest du Québec, il lui faut une protection hivernale. Elle croît sur un sol humifère, riche en mousse de tourbe, toujours frais et en un milieu mi-ombragé (distance de plantation : de 50 à 60 cm). Au printemps, il faut protéger l'inflorescence naissante contre l'appétit des écureuils en l'entourant d'un grillage.

Delphinium

Le **Delphinium tricorne** est une petite espèce rustique (zone 4), aux racines tubéreuses, qui préfère l'ombrage des arbres et des arbustes (Voir photo 73, p. 148). Ses petites fleurs bleues ou d'un bleu violacé, parfois bicolores ou blanches, sont réunies en racèmes lâches. Sans être aussi décoratif que les grands D. x hybridum, ce pied-d'alouette agrémente joliment une parcelle de sous-bois. L'inflorescence se compose de 10 à 25 fleurs groupées sur une hampe florale de 20 à 30 cm de hauteur, quelquefois plus, qui s'élève par-dessus le feuillage dès la fin de mai. Ce Delphinium réclame un sol meuble, frais et bien drainé (distance de plantation : de 25 à 30 cm).

Dicentra

Toutes les espèces de dicentres horticoles (Dicentra eximia, D. formosa et D. spectabilis) ainsi que les espèces indigènes (Dicentra canadensis et D. cucullaria) sont d'un précieux atout pour les jardins mi-ombragés. Leur feuillage très découpé, particulièrement gracieux, et leurs racèmes de fleurs irrégulières, blanches ou roses, en forme de cœur ouvert, rehaussent la beauté des plates-bandes. Le **Dicentra spectabilis** est une espèce rustique (zone 3) de grande taille, d'environ 80 cm en hauteur comme en étalement. Elle croît dans un sol profond, riche en matière organique et frais. Elle supporte assez bien une exposition pleinement ensoleillée du moment que le sol humifère demeure toujours légèrement humide, bien qu'elle préfère un emplacement mi-ombragé à ombragé (distance de plantation : de 75 cm à 1 m). Le cultivar 'Alba' porte des fleurs d'un blanc pur (Voir photo 74, p. 149). Vers la mi-juillet ou à la fin de juillet, son feuillage jaunit puis disparaît; pour éviter que cela ne fasse un trou dans les plantations, il suffit de lui associer des plantes dont la floraison a lieu à la fin de l'été ou en automne, telles que les

Anemone hupehensis, *A. japonica*, *A. vitifolia*, *Cimicifuga ramosa*, *C. simplex*, etc.

Mieux adaptés au plein soleil (à condition que le sol soit humifère), mais préférant toujours un milieu partiellement ombragé à mi-ombragé, les **Dicentra eximia** et **D. formosa** (Voir photo 75, p. 149) sont des espèces de petite taille, de 20 à 45 cm de hauteur et de même diamètre. Ces dicentres arborent au printemps, et de façon intermittente jusqu'en septembre, des racèmes de fleurs roses ou blanches. Le cultivar 'Luxuriant' est particulièrement intéressant à cause de sa floraison presque ininterrompue (distance de plantation : de 35 à 40 cm).

Le dicentre à capuchon ou culottes de Hollandais (**Dicentra cucullaria**) croît dans les sous-bois au sol bien drainé des érablières du sud-ouest du Québec (Voir photo 76, p. 149). À l'instar des autres dicentres, cette petite plante, d'environ 15 à 30 cm de hauteur, se remarque par ses feuilles finement découpées qui donnent au feuillage de cette espèce indigène un aspect très gracieux. Les fleurs blanches, pendantes, sont portées sur une hampe florale qui dépasse à peine le feuillage. Chaque fleur possède deux éperons en forme de V. Son surnom lui vient de sa ressemblance avec le pantalon bouffant des anciens Hollandais. L'autre espèce indigène, le dicentre du Canada (**Dicentra canadensis**) exhibe un feuillage semblable à celui du dicentre à capuchon. Les fleurs diffèrent toutefois par les deux éperons qui sont nettement plus courts. La rusticité de ces deux dicentres (zone 3b) est bonne. Ils nécessitent un sol profond, riche en humus, frais et au pH acide à légèrement alcalin (5,5 à 8), ainsi qu'un emplacement mi-ombragé (distance de plantation : 25 cm). Le mode de propagation le plus simple consiste à diviser les petits tubercules écailleux tôt en juillet ou au début de l'automne. La multiplication par les semences exige une période de stratification au froid pendant 8 à 12 semaines. Après semis, ces graines mettent parfois plus d'un an à germer.

Digitalis

Le genre *Digitalis* renferme quelques vivaces rustiques (zones 4 et 5) relativement éphémères, ainsi que des espèces annuelles et bisannuelles. La plupart de ces digitales tolèrent très bien une situation pleinement ensoleillée quoiqu'elles se trouvent mieux d'un ombrage léger à moyen en sol bien drainé et riche en matière organique (distance de plantation : de 40 à 60 cm).

La *Digitalis purpurea* est bien connue des amateurs; cette bisannuelle a de 80 cm à 1,50 m de hauteur et porte un épi dense de fleurs tubulaires blanches, roses ou rouges tachetées de points pourpres à l'intérieur de la gorge.

Moins connue, la *Digitalis ferruginea* est une grande plante vivace, rustique (zone 5), qui ne demande pas une protection hivernale particulière (Voir photo 77, p. 150). Elle mesure 1,80 m de hauteur et arbore un très long épi constitué d'une multitude de petites fleurs tubulaires jaune ocre tacheté de rouge. L'inflorescence s'épanouit à la mi-juillet. Elle préfère vivre en milieu mi-ombragé.

Très rustique (zone 4), la *Digitalis grandiflora* (également connue sous le nom scientifique de *D. ambigua*) est une espèce vivace de 80 cm à 1 m de hauteur, dont l'aspect séduisant est dû à son épi de fleurs tubulaires d'un jaune pâle très lumineux; l'intérieur de la gorge est teinté de brun. Sa floraison débute à la fin de juin et se prolonge jusqu'à la mi-août. C'est une plante qui se ressème facilement; elle fleurit abondamment et régulièrement au fil des ans. Le cultivar 'Temple Bells' produit des fleurs plus grosses que celles de l'espèce.

La digitale laineuse (*Digitalis lanata*) est une espèce médicinale, originaire du sud-est de l'Europe. Son feuillage est fortement pubescent. Les fleurs tubulaires, gris-brun à l'extérieur et blanc jaunâtre à l'intérieur, sont réunies en épis au sommet d'une tige feuillée de 80 cm à 1 m de hauteur. Cette espèce atteint sa limite septentrionale de rusticité (zone 5b) dans le sud-ouest du Québec et il lui faut une protection hivernale sous la forme d'un paillis de feuilles.

Bien qu'originaire de la péninsule ibérique, la digitale jaune (*Digitalis lutea*) est une espèce rustique (zone 4) que l'on trouve dans quelques bonnes pépinières. Cette vivace arbore une tige feuillée de 70 à 90 cm de hauteur portant un épi de fleurs tubulaires jaune pâle à jaune citron. Sa floraison débute à la fin de juin et se renouvelle pendant deux à trois semaines. La plante refleurit année après année.

Très peu connue au Québec, la **Digitalis x mertonensis** est issue d'un croisement entre D. purpurea et D. grandiflora. Rustique (zone 5) dans le sud-ouest du Québec, cette digitale exhibe de longues fleurs tubulaires, vieux rose saumoné, réunies en un long épi sur une tige feuillée haute de 70 à 90 cm. La floraison débute à la mi-juin (Voir photo 78, p. 150).

Dodecatheon

Peu connue des amateurs, la gyroselle (**Dodecatheon meadia**) est une jolie plante vivace qui convient autant à une rocaille qu'à une plate-bande en milieu mi-ombragé (Voir photo 79, p. 150). Rustique (zone 5), cette plante produit une petite touffe de feuilles ovales groupées en rosette basilaire. Tôt au printemps s'élèvent des hampes florales de 20 à 30 cm de hauteur arborant une dizaine de petites fleurs roses qui rappellent en miniature les fleurs de cyclamen. Elle nécessite un sol meuble, riche en matière organique, de frais à humide et un emplacement mi-ombragé. Son feuillage disparaît vers la mi-été (distance de plantation : 20 cm).

Epimedium

Le genre *Epimedium* compte onze espèces dont plusieurs sont en vente dans les bonnes pépinières : *Epimedium grandiflorum, E. x perralchicum, E. pinnatum, E. x rubrum, E. x versicolor* et *E. x youngianum*. Ces jolies plantes vivaces, rustiques (zones 4 et 5), aux tiges feuillées, plus ou moins érigées, de 15 à 40 cm de hauteur, ont un port étalé. Les feuilles cordiformes sont d'un vert tendre et luisant, parfois bronzé. Réunies en grappes lâches ou racèmes, les fleurs s'épanouissent à la fin de mai ou au début de juin, sur une petite hampe florale ramifiée par-dessus le feuillage. Cette plante réclame un sol meuble, profond, frais de préférence et un emplacement mi-ombragé (distance de plantation : de 35 à 50 cm). Dans un sol sec, le feuillage de ces vivaces disparaît avant la fin de l'été.

L'*Epimedium grandiflorum* (syn. *E. macranthum*) est une espèce originaire du Japon, de 15 à 25 cm de hauteur, parfaitement rustique (zone 4) dans le sud-ouest du Québec. Les feuilles sont bipennées, quelquefois simples; les fleurs, aux pétales blancs pour l'espèce botanique, s'ouvrent tôt au printemps. Plusieurs cultivars sont connus, mais encore peu accessibles dans les pépinières du Québec : **'Elf King'** ('Elfenkënig'), un cultivar vigoureux, aux fleurs blanc crème; **'Lilac Fairy'** ('Lilafee'), un plant vigoureux et florifère, aux fleurs lavande violacé; **'Rose Queen'**, aux larges fleurs rose foncé; **'Violaceum'**, aux fleurs violet foncé.

Issu d'un croisement entre les *Epimedium perralderanum* et *E. pinnatum*, l'hybride *E. perralchicum* est surtout connu pour son cultivar 'Frohnleiten', au feuillage dense plutôt bronzé qui acquiert une jolie coloration brun rougeâtre à l'automne. Les fleurs aux pétales jaunes se dressent au début de juin sur une courte hampe florale ramifiée. Cet hybride est considéré comme un peu moins rustique (zone 5b) que ses géniteurs et il nécessite une certaine protection hivernale sous la forme d'un paillis de feuilles.

Rustique (zone 4), l'*Epimedium pinnatum* 'Elegans', haut de 20 à 35 cm, a des feuilles d'un vert mat, de formes variables, généralement biternées, soulignées d'une marge de couleur bronze. L'inflorescence s'érige sur 45 à 50 cm, au début de juin; les fleurs aux pétales jaunes tachetés de brun sont réunies en racèmes très lâches par-dessus du feuillage.

D'origine inconnue, l'*Epimedium x rubrum* est rustique (zone 4) dans le sud-ouest du Québec et, quoique plus fournie, la plante a un port et un feuillage assez semblables à ceux de l'espèce *E. alpinum* (Voir photo 80, p. 150). Les nouvelles pousses laissent apparaître un beau feuillage rougeâtre qui devient lentement de ton verdâtre. Les fleurs, plutôt larges pour le genre, aux pétales d'un rouge brillant, s'ouvrent dès la fin de mai. Cet hybride constitue un joli couvre-sol pour les plates-bandes situées en milieu mi-ombragé.

L'hybride *Epimedium x versicolor* provient d'un croisement entre les espèces *E. grandiflorum* et *E. pinnatum*; cette vivace forme une touffe de 30 à 50 cm de hauteur et de diamètre équivalent. Le cultivar 'Sulphureum' arbore un feuillage teinté de rouge à la feuillaison et des fleurs aux sépales blancs et au cœur jaune. On le trouve dans les bonnes pépinières du Québec. Sa rusticité (zone 4) est bonne et il ne réclame pas de protection hivernale particulière.

Un autre hybride, l'*Epimedium x youngianum*, est fort prisé des connaisseurs. Deux cultivars rustiques (zone 5) sont en vente dans les bonnes pépinières : '**Niveum**' aux fleurs d'un blanc pur et '**Roseum**' aux fleurs teintées de rose (Voir photo 81, p. 151). Cet *Epimedium* mesure de 20 à 30 cm de hauteur et de 30 à 50 cm de diamètre. Les fleurs s'épanouissent tôt au printemps, dès la mi-mai ou à la fin de mai, et sont groupées sur un racème lâche qui ressort du feuillage. Celui-ci, d'un beau vert tendre, donne une touche lumineuse à l'avant d'une plate-bande sise en milieu mi-ombragé.

Erythronium

L'ail doux, ou érythrone d'Amérique (*Erythronium americanum*), croît dans les sous-bois des érablières du sud-ouest du Québec (Voir photo 82, p. 151). Au début de printemps, cette plante bulbeuse émet deux feuilles luisantes, plus longues que larges, généralement tachetées de points brunâtres. Du feuillage s'élève une hampe florale qui porte une seule fleur à trois pétales et trois sépales jaunes, inclinée vers le sol. Les jeunes plants ne fleurissent pas. Fait intéressant, le petit bulbe de l'érythrone s'enfonce progressivement dans le sol. Sa culture réclame donc un sol humifère et profond. Là où l'on désire l'installer, il est préférable de labourer le sol sur 40 à 50 cm de profondeur. Pour lui permettre de fleurir convenablement et de reconsituer ses réserves, on le plantera dans une plate-bande légèrement ombragée à mi-ombragée au sol meuble. Certaines pépinières spécialisées vendent des bulbes matures qu'il faut enterrer à 10 ou 15 cm de profondeur à la fin l'été ou à l'automne. Une fois établie, l'érythrone d'Amérique se multiplie d'elle-même par semis et par ses bulbilles. Les graines seront récoltées dès maturation des fruits. Quelques-unes peuvent déjà germer à l'automne, mais la plupart lèveront au printemps suivant. Une plantule d'érythrone ne fleurit pas avant quatre à sept ans.

Outre l'espèce indigène, les bonnes pépinières et les graineteries spécialisées proposent d'autres spécimens dignes d'intérêt et rustiques (zone 5) : *Erythronium dens-canis* et *E. revolutum*. La première, originaire de l'Europe et de l'Asie, a un feuillage maculé de brun rougeâtre. Les fleurs roses à lilas se déploient au début de juin sur une hampe florale de 15 à 20 cm de hauteur. Trois cultivars sont à mentionner : '**Lilac Wonder**', aux fleurs rose lilas; '**Purple King**', aux fleurs pourpre foncé à cœur blanc; '**White Splendour**', aux fleurs d'un blanc pur. L'*Erythronium revolutum* est une espèce propre à la côte ouest de l'Amérique du Nord, qui se caractérise par de grandes feuilles vertes sillonnées de veines vert pâle. Le cultivar '**White Beauty**' arbore des fleurs d'un blanc crème sur une hampe florale de 20 à 25 cm de hauteur (Voir photo 83, p. 151). Deux autres cultivars issus d'une hybridation avec l'*Erythronium tuolumnense* sont également offerts : '**Kondo**', aux fleurs jaune clair et '**Pagoda**', aux fleurs jaune foncé (distance de plantation : de 10 à 15 cm).

Fallopia

Le *Fallopia cuspidatum*, également connu sous le nom scientifique de *Polygonum cuspidatum*, est nommé bambou mexicain. C'est une plante vivace aux longues tiges dressées, creuses, de 1,25 m à 1,80 m de hauteur. Sitôt établie, cette renouée s'étend rapidement et devient vite envahissante; elle est difficile à éradiquer. Un cultivar beaucoup moins vigoureux, le *Fallopia cuspidatum* '**Variegata**', attire l'attention de nombreux amateurs (Voir photo 84, p. 152). Il mesure de 60 à 90 cm de hauteur et de 50 à 60 cm de diamètre. Au printemps, à la feuillaison, les limbes des feuilles se teintent d'une superbe couleur qui varie du rose au rose crème. En vieillissant, elles acquièrent un ton vert, rosé, vert et crème ou totalement crème. Ce cultivar rustique (zone 4) est également commercialisé sous le nom de *Fallopia japonica* '**Spectabilis**'. Il s'accommode de tous les types de sol, mais préfère un terreau meuble et bien drainé (distance de plantation :

de 45 à 70 cm). La multiplication se fait aisément par bouturage des tiges ou par division des touffes.

Filipendula

Le genre *Filipendula* renferme quatre espèces ornementales qui peuvent être installées dans une plate-bande ensoleillée ou mi-ombragée : *Filipendula palmata*, *F. rubra*, *F. ulmaria* et *F. vulgaris*. Leur rusticité est excellente (zone 3) dans le sud-ouest du Québec.

On confond parfois le **Filipendula palmata** (syn. *F. digitata*) avec une autre espèce taxonomiquement proche, le *F. purpurea*. Le *Filipendula palmata* porte des feuilles digitées sur des tiges d'environ 80 cm à 1,20 m de hauteur. À leur sommet se développent des panicules plumeuses de fleurs roses. Celles-ci s'épanouissent en juillet. Le cultivar 'Nana', au port plus compact, mesure de 30 à 60 cm de hauteur. Comme la plupart des *Filipendula*, cette espèce exige un sol humifère et légèrement humide (distance de plantation : de 50 à 70 cm).

Le **Filipendula purpurea** gagnerait à être connu pour ses qualités esthétiques. Les tiges rougeâtres portent des feuilles découpées en cinq à sept lobes au sommet desquelles se développent, en juillet, des panicules ramifiées de minuscules fleurs de ton carmin semblables à des plumeaux. Le cultivar 'Elegans' a, quant à lui, des fleurs blanches (distance de plantation : de 50 à 60 cm).

La reine des prairies (**Filipendula rubra**) est sans conteste l'espèce la plus décorative de toutes. De cette vivace très vigoureuse jaillit une touffe dense de feuilles palmatipennées. À la mi-juin ou à la fin de juin, des panicules de fleurs d'un rose pâle à rose moyen s'épanouissent au sommet des tiges feuillées. L'ensemble atteint de 1,20 m à 1,80 m de hauteur, bien plus que ne s'élèvent la majorité des vivaces. Les cultivars 'Venusta', aux fleurs rose foncé (Voir photo 85, p. 152), et 'Venusta Magnifica', aux fleurs rouge carmin, ont la cote d'amour auprès des amateurs (distance de plantation : de 80 cm à 1 m).

La reine-des-prés (**Filipendula ulmaria**) porte des feuilles impari-pennées. Du feuillage s'élèvent à la mi-juin des hampes florales de 80 cm à 1 m de hauteur garnies de panicules plumeuses de fleurs blanches. L'espèce botanique est délaissée au profit de cultivars plus intéressants : '**Aurea**', plant compact, au feuillage jaune vif à jaune verdâtre extrêmement décoratif (Voir photo 86, p. 152); '**Plena**', un plant semblable à l'espèce, mais orné de panicules de fleurs bien doubles; '**Variegata**', une forme plus compacte, au joli feuillage vert foncé panaché de jaune crème au centre des folioles (distance de plantation : de 50 à 60 cm).

Galium

Le *Galium odoratum*, également connu sous le nom scientifique d'*Asperula odorata*, est une petite plante aux feuilles verticillées réunies par six à neuf folioles lancéolées d'un vert moyen (Voir photo 87, p. 153). Le feuillage s'érige sur 10 à 20 cm de hauteur et s'étale sur 20 à 40 cm. L'aspérule odorante s'étend rapidement dans un sol meuble sans jamais devenir envahissante. Le sommet des tiges feuillées porte, dès le début de juin, des cymes terminales de petites fleurs blanches à quatre pétales. Cette vivace rustique (zone 3b) nécessite une terre meuble, humifère et un emplacement mi-ombragé à ombragé. Elle s'associe bien à la plupart des autres vivaces (distance de plantation : de 30 à 40 cm).

Gentiana

La gentiane d'Andrews (**Gentiana andrewsii**) est une jolie plante indigène à tiges dressées d'une hauteur de 30 à 60 cm (Voir photo 88, p. 153). En août, elle porte des fleurs tubulaires bleues, à peine ouvertes, au sommet des tiges feuillées. Les fleurs sont réunies en glomérules à l'aisselle des feuilles. Cette gentiane rustique (zone 4a) se cultive facilement dans n'importe quelle terre ordinaire de jardin; il lui faut un emplacement légèrement ombragé à mi-ombragé, une terre riche et un peu humide. Elle supporte toutefois de vivre en milieu ensoleillé sous réserve que le sol soit riche en matière organique et toujours frais. Cette gentiane se multiplie assez facilement par semis ou par division des racines fasciculées que l'on effectue à l'automne ou tôt au printemps. La couronne des racines est divisée et doit porter au moins un bourgeon de feuilles (distance de plantation : de 50 à 60 cm).

La gentiane à feuilles d'asclépiade (*Gentiana asclepiadea*) est une autre espèce qui croît bien dans un emplacement mi-ombragé (Voir photo 89, p. 153). Elle a malheureusement la réputation d'être difficile à cultiver, ce qui rebute la plupart des amateurs. Rustique (zone 4b), cette espèce a des tiges arquées, de 20 à 40 cm de hauteur et de 50 à 60 cm de longueur, à feuilles ovales-lancéolées opposées. Son port étalé convient parfaitement à l'appui supérieur d'un muret d'où les tiges pourront retomber. Les fleurs tubulaires, bien ouvertes, bleu violacé, sont groupées par deux ou trois à l'aisselle des feuilles supérieures. La floraison débute à la mi-juillet et se renouvelle jusqu'au début de septembre. Cette plante réclame un sol meuble et frais (distance de plantation : de 45 à 55 cm).

Geranium

Ainsi que le rapporte le chapitre consacré aux plantes vivaces d'entretien facile (tome I), de nombreuses espèces de géraniums (*Geranium*) croissent aussi bien en milieu ensoleillé, dans un sol meuble et frais, qu'en milieu légèrement ombragé ou mi-ombragé. C'est le cas des espèces suivantes : *Geranium x cantabrigiense, G. clarkei, G. endressii, G. himalayense, G. macrorrhizum, G. maculatum, G. nodosum, G. x oxonianum, G. phaeum, G. pratense, G. sanguineum* et *G. sylvaticum.*

Le *Geranium x cantabrigiense* 'Biokovo' est un hybride obtenu par croisement entre *G. dalmaticum* et *G. macrorrhizum* (Voir photo 90, p. 153). Cette espèce rustique (zone 5) se présente en touffes étalées d'environ 25 à 35 cm de hauteur et d'environ 40 cm de diamètre. Les feuilles profondément découpées, d'un vert profond, se parent à l'automne d'une jolie coloration rougeâtre ou rouge orangé. Ce géranium croît sur un sol meuble et un emplacement ensoleillé à mi-ombragé où il peut constituer un joli couvre-sol. Les fleurs à cinq pétales, d'un blanc rosé, s'épanouissent sur de courtes hampes florales qui s'élèvent, en juin, de quelques centimètres au-dessus du feuillage. Une autre cultivar, le 'Cambridge', plus difficile à obtenir dans les pépinières, possède des fleurs roses (distance de plantation : de 40 à 50 cm).

Les cultivars 'Kashmir Purple' et 'Kashmir White' (Voir photo 91, p. 154) sont issus du *Geranium clarkei*; ceux-ci portent des feuilles palmées, aux lobes étroits. Le feuillage s'élève de 40 à 45 cm et s'étale sur 40 à 50 cm. Les fleurs, violacées chez le 'Kashmir Purple' et d'un blanc pur chez le 'Kashmir White', sont portées sur de courtes hampes florales au-dessus du feuillage. La floraison débute en juin et se renouvelle jusqu'au début de juillet. Ces géraniums supportent de croître en milieu mi-ombragé à condition que le sol soit meuble et riche en matière organique. La rusticité de ces cultivars (zone 4) est bonne dans le sud-ouest du Québec. Dans les zones plus froides, leur culture est possible sous réserve d'une bonne protection hivernale (distance de plantation : de 40 à 50 cm).

Originaire des Pyrénées et rustique (zone 4) sous notre latitude, le *Geranium endressii* est une autre espèce qui croît aussi bien en emplacement ensoleillé que mi-ombragé. Ce géranium, d'environ 30 à 40 cm de hauteur et d'étalement équivalent porte des feuilles profondément incisées à cinq ou sept lobes. Les fleurs d'un rose clair s'épanouissent au début de juin en dépassant à peine du feuillage. Le cultivar 'Wargrave Pink' à fleurs d'un rose moyen est facilement accessible dans les bonnes pépinières (distance de plantation : 40 cm).

Le géranium de l'Himalaya (*Geranium himalayense*) est une espèce qui tolère assez bien un ombrage léger à moyen quoique sa croissance et sa floraison soient avantagées s'il croît sur un emplacement ensoleillé. Ce géranium rustique (zone 4) forme une touffe dense de feuilles profondément découpées, de 30 à 40 cm de hauteur et de 40 à 50 cm de diamètre, et il arbore de juin à la fin de juillet une multitude de fleurs d'un bleu violacé. Il peut supporter une courte période de sécheresse. On recense quelques cultivars intéressants : 'Gravetye', aux fleurs bleu profond à gorge blanche; 'Plenum' (syn. 'Birch Double'), au port plus compact et aux fleurs doubles d'un bleu violacé (distance de plantation : de 40 à 50 cm).

Le *Geranium macrorrhizum* est un allié précieux dans la réalisation d'associations en milieu mi-ombragé. C'est une espèce rustique (zone 4b), d'environ 30 à 40 cm de hauteur et de 40 à 50 cm de diamètre, dont les feuilles sont velues, aromatiques et découpées en lobes assez larges. Sur une terre meuble et riche en matière organique, ce géranium forme un tapis assez dense propre à servir de couvre-sol. Les fleurs sont blanches, roses ou rose foncé selon les cultivars. La floraison est plus abondante en milieu ensoleillé ou très légèrement ombragé. Parmi les cultivars que l'on trouve aisément dans les pépinières, citons : '**Album**', aux pétales blancs et aux étamines roses; '**Bevan's Variety**', aux fleurs rose foncé à magenta; '**Spessart**', aux fleurs d'un blanc rosé (Voir photo 92, p. 154); '**Ingwersen's Variety**', aux fleurs rose pâle. Le cultivar '**Variegatum**' (Voir photo 93, p. 154), au feuillage ourlé de blanc crème est plus difficile à obtenir sur le marché (distance de plantation : de 40 à 50 cm).

Le géranium maculé (*Geranium maculatum*) est une espèce rustique (zone 3b) de l'est de l'Amérique du Nord (Voir photo 94, p. 155). Cette espèce, qui croît dans les sous-bois frais ou dans les marécages, tolère les sols temporairement gorgés d'eau. Les tiges de 50 à 70 cm de hauteur portent des feuilles à cinq ou sept lobes étroits et dentés. Les fleurs rose moyen à rose pâle s'épanouissent sur des tiges feuillées qui s'élèvent au début de juin par-dessus le feuillage. Il est regrettable que ce géranium ne soit pas couramment offert en pépinière (distance de plantation : de 30 à 40 cm).

Le géranium noueux (*Geranium nodosum*) provient des Balkans et des Pyrénées et il atteint dans le sud-ouest du Québec sa limite septentrionale de rusticité (zone 5b). Ce géranium croît sur un emplacement mi-ombragé. Son feuillage d'environ 40 à 50 cm de hauteur et de même étalement est constitué de feuilles palmatifides à trois ou cinq lobes. Les fleurs roses à rose lilas s'élèvent à peine au-dessus du feuillage. La longue floraison débute au début de juin et se renouvelle jusqu'à la fin de juillet. Cette espèce est difficile à obtenir dans les pépinières (distance de plantation : de 40 à 50 cm).

Le *Geranium x oxonianum* est un hybride de *G. endressii* et *G. versi-color*. L'espèce forme des touffes vigoureuses de 45 à 60 cm de diamètre, au feuillage abondant, aux feuilles palmées, vert foncé et pubescentes. Les fleurs d'élèvent sur des tiges feuillées de 50 à 60 cm de hauteur. La floraison assez longue débute à la mi-juin et se renouvelle jusqu'à la mi-juillet. Sa rusticité (zone 5) semble bonne pour le sud-ouest du Québec, mais une protection hivernale est souhaitable. Le cultivar 'Claridge Druce', aux fleurs roses veinées de carmin, est couramment offert dans les bonnes pépinières. En revanche, les cultivars 'Thurstonianum', à pétales très étroits d'un rose violacé et à gorge blanche, 'A.T. Johnson', un plant compact de 40 cm de hauteur, au feuillage lustré et aux fleurs rose clair, 'Rose Clair', aux fleurs s'ouvrant sur un rose moyen et vieillissant sur un rose pâle à peine veiné de pourpre, ainsi que 'Winscombe', aux fleurs d'un blanc rosé, sont encore difficiles à obtenir dans le commerce (distance de plantation : de 55 à 65 cm).

Le géranium livide (*Geranium phaeum*) mérite une place de choix dans une plate-bande en milieu mi-ombragé à ombragé. Ce géranium rustique (zone 4a) a des tiges feuillées d'environ 50 à 70 cm de hauteur couronnées au sommet de petites fleurs inclinées de ton bourgogne à violet qui s'épanouisssent dès le début de juin. Deux cultivars sont offerts : 'Album', à fleurs blanches et 'Lily Lovell', un plant vigoureux, aux fleurs d'un violet très foncé (Voir photo 95, p. 155). Cette espèce croît et fleurit fort bien sur un emplacement mi-ombragé ou ombragé (distance de plantation : de 40 à 50 cm).

Bien qu'il préfère vivre en milieu ensoleillé, le géranium des prés (*Geranium pratense*) s'arrange assez bien d'un emplacement mi-ombragé. Sur sol meuble, frais et riche en matière organique, sa croissance et sa floraison sont à peine contrariées. Cette plante vigoureuse, aux touffes de 60 à 70 cm de hauteur et de diamètre équivalent, a des feuilles profondément incisées. Les fleurs incurvées, d'un bleu pâle légèrement violacé au cœur veiné, sont portées sur des panicules lâches au sommet du feuillage. Sa rusticité (zone 4a) est excellente pour le sud-ouest du Québec et avec une protection hivernale, il serait facile de la cultiver dans la zone 3b. Outre l'espèce botanique, on trouve sans peine plusieurs cultivars dans les pépinières : 'Album', aux fleurs blanches; 'Mrs Kendal Clarke', un cultivar aux fleurs bleu pâle veinées de blanc; 'Plenum Caeruleum', aux petites fleurs bleu lavande très doubles; 'Striatum', aux fleurs bleu violacé striées de blanc; 'Plenum Album', aux fleurs doubles d'un blanc pur (distance de plantation : 60 cm).

Le géranium sanguin (*Geranium sanguineum*) est une autre espèce dont la croissance et la floraison peuvent se contenter d'une emplacement légèrement ombragé. Il supporte même d'être en milieu mi-ombragé pour autant que le sol soit meuble et riche en matière organique; la floraison sera cependant moins abondante. Les touffes étalées de ce géranium rustique (zone 3), d'environ 15 à 30 cm de hauteur et 40 à 50 cm de diamètre, sont formées de petites feuilles profondément incisées qui donnent à la plante un aspect gracieux. Les fleurs généralement rouge écarlate pour l'espèce botanique dépassent à peine du feuillage. La floraison débute en juin dans le sud-ouest du Québec et se renouvelle jusqu'à la fin de juillet. La première floraison demeure la plus spectaculaire; il n'apparaît plus que quelques fleurs durant le reste de la saison de croissance. À l'automne, le feuillage se teinte d'une belle couleur rougeâtre. Plusieurs cultivars sont connus et en vente : 'Album', à fleurs blanches; 'Compactum', un plant compact d'à peine 10 à 15 cm de hauteur et de 20 à 30 cm de diamètre qui convient mieux à une rocaille ou à un jardin alpin; 'Max Frei', un superbe cultivar aux grandes fleurs rose foncé, difficile à obtenir dans les pépinières du Québec; var. *striatum* (syn. 'Lancastriense'), aux fleurs d'un blanc rosé veiné de rose foncé; 'Prostatum', une forme étalée, aux fleurs blanc rosé à rose pâle veinées de rouge (distance de plantation : de 40 à 50 cm).

Dans son milieu naturel, le géranium des bois (*Geranium sylvaticum*), comme son nom commun l'indique, pousse à la lisière des forêts. Rustique (zone 4b), il croît sans problème en milieu mi-ombragé. Le feuillage est ample et touffu; il atteint de 40 à 60 cm de hauteur et s'étale sur environ 50 cm. Les feuilles, à l'instar de nombreuses espèces de géraniums vivaces, sont profondément incisées. À la mi-juin, les fleurs rose vif à gorge blanche s'élèvent nettement au-dessus du feuillage. Celles-ci se renouvellent jusqu'à la fin de juillet. Trois cultivars sont connus, mais encore difficiles à obtenir : 'Album', aux fleurs d'un blanc pur; 'Birch Lilac', aux fleurs rose lilas; 'Mayflower', aux fleurs bleu violacé. Le géranium des bois exige une terre profonde, fraîche et tolère un sol temporairement saturé d'eau. C'est une espèce à découvrir et à introduire dans un jardin ombragé (distance de plantation : de 40 à 50 cm).

Originaire de la Mandchourie et de la Sibérie, le *Geranium wlassovianum* est une espèce d'une excellente rusticité (zone 3a) qui croît autant en milieu ensoleillé que mi-ombragé (Voir photo 96, p. 155). Ses tiges feuillées, plutôt étalées, d'environ 30 à 45 cm de hauteur et de même diamètre portent des fleurs rose foncé à bleu violacé qui ressortent du feuillage. Celles-ci s'ouvrent au début de juillet. Le feuillage du géranium de Sibérie se pare d'une jolie coloration jaune ou rouge à l'automne. Cette espèce est encore difficile à trouver dans nos pépinières (distance de plantation : de 40 à 50 cm).

Gillenia

Provenant de l'est de l'Amérique du Nord, rustique (zone 4) dans le sud-ouest du Québec, le *Gillenia trifoliata* est une plante vivace presque inconnue des amateurs et des pépiniéristes (Voir photo 97, p. 156). Sa valeur ornementale est indéniable et elle mérite certainement une plus large diffusion. Dans son milieu d'origine, elle croît dans les sous-bois ouverts, sur un sol humifère. Ses tiges feuillées ont de 60 cm à 1 m de hauteur; les feuilles composées digitées sont formées de trois folioles lancéolées. Semblables à des étoiles, les fleurs très ouvertes ont cinq pétales et sont réunies en panicules terminales très lâches au sommet des tiges; elles s'épanouissent à la mi-juillet. Cette jolie plante réclame une terre légèrement humide, meuble, au pH neutre à légèrement acide, ainsi qu'un emplacement légèrement ombragé à mi-ombragé (distance de plantation : de 80 cm à 1 m).

Glaucidium

Le **Glaucidium palmatum** est une belle vivace, extrêmement décorative, qui serait largement utilisée si elle était offerte dans nos pépinières (Voir photo 98, p. 156). Pour l'instant, quelques spécimens croissent dans le sous-bois des primevères du jardin des Quatre-Vents au Cap-à-l'Aigle dans Charlevoix. Introduite par M. Francis Cabot, cette plante est rustique (zone 4) si on lui concède une protection hivernale sous la forme d'un épais paillis ou d'une couche de neige. Originaire des bois montagneux du nord du Japon, le G. *palmatum* a de grandes feuilles peltées, plus ou moins lobées et dentées selon les plants. Les fleurs simples, de 5 à 6 cm de diamètre, rose pâle à rose moyen, blanches pour la variété *leucanthum*, sont portées à la mi-juin sur des tiges feuillées d'environ 30 à 50 cm de hauteur. Cette vivace, dont l'aspect général rappelle le podophylle pelté (*Podophyllum peltatum*), se classe dans la famille des ranunculacées. Elle exige un sol frais, meuble, riche en matière organique et un emplacement mi-ombragé à ombragé. Elle dépérit dans un sol argileux mal drainé ou un sol sablonneux à drainage excessif (distance de plantation : de 50 à 60 cm).

Hackenochloa

L'*Hackenochloa macra* 'Aureola'est une jolie graminée de milieu frais qui demeure encore difficile à trouver même dans les bonnes pépinières; certaines firmes spécialisées la proposent à leurs clients. Considérée comme rustique (zone 5) dans le sud-ouest du Québec, cette graminée nécessite un emplacement où s'accumule une bonne couverture de neige (Voir photo 99, p. 156). Ce clone forme une touffe de feuilles étroites d'abord érigées, de 30 à 40 cm de hauteur et de 40 à 50 cm de diamètre, puis nettement retombantes, d'une jolie couleur jaune vif à peine striée de vert. Il lui faut un sol meuble, bien drainé, humifère et frais sur un emplacement légèrement ombragé ou mi-ombragé. Elle s'adapte à un milieu ensoleillé si le sol demeure constamment frais (distance de plantation : de 40 à 50 cm). Sous un ombrage dense, la couleur du feuillage tend à s'estomper.

Hedera

Le lierre commun (**Hedera helix**), fort apprécié comme plante grimpante en Europe, est très peu utilisé au Québec à cause de sa faible rusticité (Voir photo 100, p. 157). Deux cultivars rustiques (zone 5b) pourraient intéresser les amateurs dans le sud-ouest du Québec : '**Baltica**' et '**Bulgaria**'. Ces plantes rampantes portent des feuilles persistantes, d'un vert foncé, aux limbes découpés en trois ou cinq lobes. Dès que ce lierre est implanté en sol meuble, ses tiges feuillées peuvent croître sur plus de 2 m de longueur. Tous les types de sol lui conviennent sous une exposition légèrement ombragée à ombragée. Pour garantir la survivance des lierres, on doit les recouvrir d'un épais paillis à la fin de l'automne et favoriser l'accumulation d'une bonne couche de neige sur les plants (distance de plantation : de 50 à 70 cm).

Helleborus

Les ellébores ou hellébores (*Helleborus*) sont beaucoup mieux connus et plus cultivés en Europe qu'en Amérique du Nord (Voir photo 101, p. 157). Leur nom familier de rose de Noël s'explique par le fait que sous les climats doux du sud de l'Angleterre et de la France, leur floraison est très précoce. C'est au cœur de l'hiver que s'épanouissent les fleurs. Sous notre latitude, la floraison a lieu vers la fin d'avril lors d'un printemps hâtif ou à la mi-mai lors d'un dégel tardif.

Quelques espèces assez semblables sont rustiques dans le sud-ouest du Québec : *Helleborus atrorubens* (zone 5a), *H. foetidus* (zone 4b), *H. niger* (zone 4b) et *H. orientalis* (zone 5b). On a également recensé plusieurs cultivars qui demeurent difficiles à trouver dans les pépinières du Québec.

Les ellébores ont l'aspect d'une petite touffe de feuilles pédalées* composées de quatre à neuf folioles. La plante a de 20 à 30 cm de hauteur et s'étale sur 25 à 35 cm. Les fleurs en forme de coupes composées de cinq sépales colorés sont réunies au sommet d'une courte

---

* feuille pédalée : une feuille dont le limbe présente des folioles distribuées sur un pétiole divisé en plusieurs ramifications plus ou moins digitées.

hampe florale ramifiée qui dépasse à peine le feuillage. Le coloris des fleurs varie selon les espèces et les cultivars; elles peuvent être d'un blanc pur, de diverses nuances de rose ou pourpre violacé. Quand les fleurs fanent, le feuillage cesse de croître. Tous les ellébores réclament un ombrage léger à moyen et un sol humifère, riche en compost de feuilles, bien drainé. Un sol trop lourd, trop sablonneux ou insuffisamment drainé nuit à leur croissance. Une compétition trop forte avec le feutre racinaire des grands arbres entrave également leur développement. Ces vivaces réagissent favorablement à une fertilisation printanière. Les ellébores doivent être transplantés tôt au printemps ou en automne; les jeunes plants s'établissent beaucoup mieux que les touffes âgées. Lorsqu'ils sont installés, il faut éviter de les déplacer inutilement (distance de plantation : de 25 à 30 cm).

Hemerocallis

Si les hémérocalles sont surtout recommandées pour un emplacement ensoleillé, leur croissance et leur floraison ne sont pas contrariées par un léger couvert. Toutefois, la présence de feutre racinaire croissant à proximité limite considérablement leur développement.

Quelques espèces d'hémérocalles supportent assez bien un ombrage de léger à moyen, notamment les *Hemerocallis dumortieri, H. flava, H. forrestii* et *H. fulva*. L'hémérocalle à fleurs jaunes (**Hemerocallis flava**), particulièrement intéressante à cet égard, a connu son heure de gloire avant l'arrivée des nombreux cultivars (Voir photo 102, p. 158). Si ces derniers ont souvent des fleurs plus nombreuses et plus grosses, cette espèce conserve sa vigueur même sous la frondaison des arbres. Son feuillage étroit s'élève d'abord de 50 à 60 cm de hauteur puis retombe. Il forme une jolie touffe d'environ 60 à 80 cm de diamètre qui s'associe bien aux fougères, aux hostas et à un grand nombre de plantes ornementales. Au début de juin s'élèvent du centre de la touffe plusieurs hampes florales, ramifiées au sommet, arborant de jolie fleurs ouvertes d'un jaune vif. À travers le vert tendre du feuillage des fougères ou à l'abri des rayons du soleil, la coloration vive des fleurs marque agréablement le sous-bois ou la plate-bande. Cette espèce rustique (zone 3b), malheureusement difficile à trouver chez les pépiniéristes qui lui préfèrent les nouveaux clones, réclame un sol meuble, riche en matière organique et frais (distance de plantation : de 70 cm à 1 m).

Hepatica

Deux espèces indigènes d'hépatique croissent dans les sous-bois des érablières du sud-ouest du Québec : *Hepatica acutiloba* (Voir photo 103, p. 158) et *H. americana*. Les hépatiques sont parmi les premières plantes à fleurir au printemps. Il n'est pas rare d'observer des fleurs d'hépatique à proximité des plaques de neige qui persistent dans le sous-bois. Ces espèces assez similaires arborent une touffe de feuilles de 20 à 25 cm de diamètre; les feuilles plus ou moins triangulaires sont formées de trois lobes très distincts. Les lobes des feuilles sont arrondis au sommet chez l'hépatique d'Amérique (**Hepatica americana**) et pointus ou obtus chez l'hépatique acutilobée (**H. acutiloba**). Le feuillage persiste durant l'hiver et une bonne partie du printemps jusqu'à son remplacement par une nouvelle feuillaison. Les petites fleurs émergent, dès le mi-avril, du centre de la rosette de feuilles desséchées et sont composées de 6 à 12 sépales pétaloïdes, lilas, roses ou blancs sur une courte hampe florale de 10 à 15 cm de hauteur (distance de plantation : de 25 à 30 cm).

Très rustiques (zone 3b), les hépatiques indigènes peuvent trouver place dans des plates-bandes mi-ombragées à ombragées. Elles réclament un sol meuble, riche en matière organique et frais et elles luttent relativement bien contre l'invasion du feutre racinaire des grands arbres et des arbustes. L'espèce européenne, l'**Hepatica nobilis**, est également rustique (zone 5) dans le sud-ouest du Québec. Les hépatiques se propagent soit par division des racines, soit par les semences. La division des racines s'effectue à l'automne en conservant les vieilles feuilles qui contiennent des éléments nutritifs nécessaires à leur enracinement. Les graines seront récoltées dès maturation des fruits au début de l'été. Pour une germination optimale, les semences doivent passer par une période de stratification au froid; il arrive toutefois que certaines graines plantées dès la récolte parviennent à germer.

Heuchera

Bien qu'un emplacement ensoleillé leur convient mieux, les espèces et les cultivars au feuillage vert du genre *Heuchera* peuvent croître sous ombrage qui varie de léger à moyen. Toutes les heuchères commercialisées ont l'apparence d'une touffe de feuilles entières, palmatilobées ou palmatifides d'où sortent une multitude de panicules lâches de petites fleurs blanches, roses ou rouges selon les cultivars. Ces plantes ont une assez longue floraison qui débute en juin et se renouvelle si l'on taille rapidement les hampes florales flétries. De nombreux cultivars rustiques (zone 4) de *Heuchera x brizoides* sont en vente : **'Bressingham'**, aux fleurs rouges à rose foncé; **'Chatter Box'**, à la très longue floraison, à fleurs rose foncé; **'Coral Cloud'**, aux fleurs rose corail; **'Firefly'**, aux fleurs rouge vif; **'Schneewittchen'**, très florifère, aux fleurs blanc crème; **'Walker'**, au fleurs roses. Les heuchères s'associent à merveille aux fougères, aux hostas, aux trilles et bien d'autres (Voir photo 104, p. 159).

Un certain nombre de nouveaux clones rustiques (zone 4) sont promis à une grande diffusion. Encore difficiles à obtenir, mais offerts chez les pépiniéristes à l'affût des nouveautés, les nouvelles heuchères à feuillage décoratif se répartissent en deux catégories : les heuchères à feuillage argenté et les heuchères à feuillage de ton pourpre à violacé. Les cultivars 'Brida Veil' (Voir photo 104, p. 159) **'Cascade Dawn'**, **'Cherry Splash'**, **'Coral Splash'**, **'Frosty'**, **'Pewter Veil'**, 'Ruby Veil', **'Silver Veil'** et **'Splish Splash'** se parent de feuilles à panachures et à stries argentées plus ou moins prononcées. La plus spectaculaire est le cultivar **'Splish Splash'** dont les feuilles au centre argenté sont ourlées de vert; à l'automne, le feuillage de ce clone acquiert une jolie coloration rosée. Chez tous ces cultivars, les hampes florales arborent des fleurs aux tons de rose.

Outre le cultivar **'Palace Purple'** (Voir photo 105, p. 159), au feuillage pourpre chez les spécimens obtenus par division des touffes, et vert pourpré à pourpre chez les plants obtenus par semis, on dénombre quelques nouveaux cultivars fort séduisants : 'Amethyst Myst', au feuillage saphir violet marbré d'argent; 'Cappucino', aux limbes couleur de café teinté de crème; 'Cascade Dawn', au feuillage brun nuancé d'argent d'où ressortent des nervures brun rougeâtre; 'Chocolate Ruffles', aux feuilles ondulées d'un brun acajou à envers bourgogne; 'Palace Passion', aux limbes de ton mauve et aux fleurs roses, qui supporte un emplacement ensoleillé; 'Purple Petticoats', dont le bord des feuilles est frisé et le limbe d'une couleur mauve bourgogne très décorative; 'Stormy Seas', un clone au feuillage pourpre à gris argenté qui forme une large touffe de plus de 50 cm de diamètre; 'Velvet Night', au feuillage marbré et velouté de ton violet à violet noirâtre. Toutes les heuchères à feuillage argenté, ou pourpre à violacé, exigent un emplacement mi-ombragé (distance de plantation : de 45 à 55 cm).

x Heucherella

Le genre x *Heucherella* est issu d'un croisement entre les genres *Heuchera* et *Tiarella*. Deux espèces se trouvent en pépinière : x *Heucherella alba* et **x *Heucherella tiarelloides***. Cette dernière a l'aspect d'une touffe de feuilles palmatilobées d'où jaillissent, de la fin de mai à la mi-juillet, des panicules de 20 à 30 cm de hauteur, portant des fleurs aux pétales rose pâle à rouge. De port analogue, l'hybride **x *Heucherella alba*** est une espèce d'environ 30 à 40 cm de hauteur. Le cultivar 'Bridget Bloom' jouit d'une longue floraison qui débute en juin et se renouvelle jusqu'en septembre en arborant des fleurs d'un rose vif (Voir photo 106, p. 159).

Hosta

Le genre *Hosta*, avec ses nombreuses espèces et sa multitude de cultivars, accueille des plantes décoratives indispensables dans un jardin ornemental doté ou non d'une plate-bande partiellement ombragée ou ombragée. La hauteur et la couleur du feuillage varient considérablement d'une espèce ou d'un cultivar à l'autre. Compte tenu de l'importance de ce genre, le chapitre suivant en traite de façon détaillée.

Houttuynia

Originaire de l'Asie, le *Houttuynia cordata* est une jolie vivace rustique (zone 5) qui croît sur un sol humifère, légèrement humide, en milieu mi-ombragé. Elle supporte un emplacement pleinement ensoleillé à condition que le sol demeure humide en permanence. L'espèce botanique, peu utilisée en horticulture ornementale, cède la place au cultivar 'Caméléon' (syn. 'Tricolor') dont le feuillage panaché de blanc, de vert et de rouge s'élève sur 10 à 15 cm de hauteur et s'étale sur 35 à 50 cm (distance de plantation : de 35 à 40 cm). Regroupées, ces vivaces constituent un couvre-sol très décoratif (Voir photo 107, p. 159).

Hylomecon

Le genre *Hylomecon* est étroitement apparenté à celui de *Chelidonium*; l'espèce *Hylomecon japonica*, également connue sous le nom scientifique de *Stylophorum japonicum*, est une vivace qui convient parfaitement à une plate-bande mi-ombragée (Voir photo 108, p. 160). Rustique (zone 5) dans le sud-ouest du Québec, cette plante porte des tiges feuillées hautes de 20 à 35 cm. Les feuilles composées imparipennées sont d'un beau vert pâle. Les fleurs à quatre pétales jaune vif s'épanouissent tôt au printemps, dès la mi-mai ou à la fin de mai, au sommet du feuillage. Celui-ci disparaît au courant de l'été. Il est préférable d'associer cette plante à d'autres vivaces qui prendront de l'expansion durant la saison estivale, tels les hostas et les anémones d'automne. Elle nécessite une certaine protection hivernale (distance de plantation : de 30 à 40 cm).

Iris

L'*Iris cristata* est une superbe espèce, rustique (zone 5) dans le sud-ouest du Québec, qui mérite d'être installée en façade d'une plate-bande légèrement ombragée à mi-ombragée (Voir photo 109,

77

p. 160). Originaire d'Amérique du Nord, cet iris rhizomateux porte une touffe de feuilles ensiformes d'environ 15 cm de hauteur. Les jolies fleurs, de 5 à 8 cm de diamètre, dépassent à peine du feuillage; elles s'épanouissent vers la mi-mai ou à la fin de mai. Les segments des fleurs varient du bleu clair au lilas. La variété 'Alba' s'orne de segments blancs et le clone 'Shenandoah Sky' arbore des fleurs bleu pâle. Cette espèce croît sur un sol meuble, riche en matière organique et préférablement frais sur un emplacement ensoleillé à mi-ombragé. Il est probablement plus rustique que sa cote ne l'indique et pourrait être implanté en zone 4b si on lui assure une protection hivernale. Cet iris semble moins attaqué par le perceur des rhizomes de l'iris que les autres iris rhizomateux (distance de plantation : de 15 à 20 cm).

Jeffersonia

Deux espèces du genre *Jeffersonia*, le *J. diphylla* et le *J. dubia* (Voir photo 110, p. 160), sont tout indiquées pour les plates-bandes ombragées; ces jolies plantes vivaces, rustiques (zone 5), sont cependant difficiles à trouver dans les pépinières du Québec. Le *Jeffersonia diphylla* a des feuilles bipartites qui surmontent un court pétiole de 15 à 25 cm de hauteur; les fleurs solitaires sur un pédoncule de 20 à 35 cm de hauteur ont des pétales blancs.

Moins rustique et nécessitant de ce fait une protection hivernale sous la forme d'un paillis de feuilles, le *Jeffersonia dubia* porte des feuilles arrondies ou réniformes caractérisées par un profond sinus. Ce plant est plus compact que le *J. diphylla*; l'ensemble a une hauteur de 15 à 25 cm. Il faut à ces deux espèces un sol bien drainé, légèrement humide, profond, fertile et situé en un milieu légèrement ombragé à mi-ombragé (distance de plantation : de 25 à 30 cm).

Kirenghesoma

Originaires du Japon et de Corée, les *Kirenghesoma palmata* et *K. koreana* sont désormais en vente dans quelques bonnes pépinières. L'espèce *Kirenghesoma palmata*, au port buissonnant, présente plusieurs tiges feuillées de 60 à 80 cm de hauteur, les feuilles entières sont palmatilobées. Vers la mi-août, cette vivace porte de petites fleurs, blanc jaunâtre à jaune pâle, réunies en cymes latérales au sommet des tiges feuillées (Voir photo 111, p. 160). Le *Kirenghesoma koreana* diffère peu du *K. palmata*; il s'en distingue par ses inflorescences, érigées, non pendantes et par sa hauteur de 80 cm à 1 m. Ces deux espèces rustiques (zone 5) se marient bien aux *Cimicifuga*, aux grandes anémones à floraison automnale, aux fougères et aux *Rodgersia*. Elles nécessitent un sol humifère, profond et un emplacement mi-ombragé à ombragé (distance de plantation : de 60 à 70 cm).

Lamiastrum

Le lamier doré (*Lamiastrum galeobdolon*) porte désormais le nom scientifique de *Galeobdolon luteum*. Cette jolie vivace rustique (zone 4) aux tiges érigées mesure environ 20 à 40 cm de hauteur et 30 à 45 cm de diamètre. Ses feuilles sont ovales, crénelées ou dentées, nettement lignées ou maculées d'argent. À la fin de mai, ce lamier porte de petites fleurs jaunes au sommet des tiges feuillées. La plante réclame un sol de préférence meuble, riche en matière organique et un emplacement mi-ombragé à ombragé (distance de plantation : de 30 à 40 cm). Trois cultivars sont sur le marché : 'Herman's Pride', au port érigé, aux feuilles étroites et à la floraison abondante (Voir photo 112, p. 161); 'Silberteppich' (syn. 'Silver Carpet'), un cultivar moins vigoureux et de croissance plus lente que les autres, mais néanmoins intéressant; 'Variegatum' (syn. 'Florentinum'), cultivar vigoureux, légèrement envahissant, au feuillage marqué d'argent.

Lamium

Le lamier maculé (*Lamium maculatum*) est une excellente plante de terrain ombragé. Ses tiges feuillées plutôt rampantes, d'à peine 10 cm de hauteur et de 30 à 40 cm d'étalement, forment un tapis assez dense et coloré. Le feuillage est plus ou moins maculé d'argent selon les cultivars. C'est une plante qui aime un sol bien drainé. L'excès d'humidité, notamment au printemps, lui est préjudiciable. Rustique (zone 4), elle arbore de la mi-mai à juillet de petits épis de fleurs généralement rose à pourpre. Plusieurs cultivars sont offerts : 'Album', aux feuilles maculées d'argent et aux fleurs blanches; 'Aureum', un superbe spécimen au feuillage jaune vif marqué d'une raie argentée au centre du limbe; 'Beacon Silver', aux feuilles nettement argentées et aux fleurs rose foncé (Voir photo 113, p. 161); 'Chequers', au feuillage décoratif, mais moins argenté que le cultivar précédent, aux fleurs rose violacé; 'Pink Pewter', un cultivar à croissance vigoureuse, aux fleurs roses et au feuillage argenté; 'Roseum', aux fleurs roses; 'Shell Pink', aux feuilles vertes traversées d'une raie argentée au centre du limbe, à fleurs rose pâle; 'White Nancy', au feuillage argenté et aux fleurs blanches (distance de plantation : de 35 à 45 cm).

Très peu connu des amateurs, le *Lamium orvala* est une espèce rustique (zone 5), originaire du nord de l'Italie, de l'Autriche et des pays baltes (Voir photo 114, p. 161). Cette espèce a de 40 à 60 cm de hauteur et s'étale sur 50 à 60 cm. Elle porte des feuilles, opposées, ovales à ovales triangulaires, d'un vert foncé luisant. Les fleurs bilabiées, de rose à rose foncé, sont réunies en glomérules à l'aisselle des feuilles supérieures. Celles-ci s'épanouissent au début de juin. Cette jolie vivace exige un emplacement mi-ombragé à ombragé. Elle constitue un réel atout pour le jardin, bien qu'elle soit encore difficile à trouver en pépinière (distance de plantation : de 50 à 60 cm).

Lathyrus

Originaire de l'est de l'Europe et du Caucase, le *Lathyrus vernus* porte également le nom scientifique d'*Orobus vernus*. C'est une vivace de choix pour un parterre mi-ombragé. L'espèce, assez basse, a de 20 à 30 cm de hauteur et de 30 à 50 cm d'étalement. Ses longues feuilles composées, paripennées sont d'un beau vert pâle. Tôt au printemps, vers la mi-mai, une hampe florale s'élève au-dessus du feuillage et arbore un racème de fleurs papilionacées d'un rose violacé très décoratif. Cette vivace requiert un sol meuble, riche en matière organique et humifère (distance de plantation : de 35 à 50 cm). Sa rusticité (zone 4) est bonne dans le sud-ouest du Québec. Quelques cultivars sont sur le marché : '**Albiflorus**', aux fleurs blanches; '**Alboroseus**', aux fleurs bicolores, blanches et roses; '**Roseus**', aux fleurs roses. Le *Lathyrus vernus* var. *gracilis* f. *roseus* est doté de folioles rubanées fort décoratives et de fleurs d'un rose très pâle (Voir photo 115, p. 162).

Ligularia

Le genre *Ligularia* réunit plusieurs espèces dignes d'intérêt : *Ligularia dentata*, *L. x hessei*, *L. japonica*, *L. macrophylla*, *L. przewalskii*, *L. tangutica*, *L. stenocephala* et *L. veitchiana*. Ces espèces préfèrent un sol humifère, frais et une situation mi-ombragée; elles supportent assez bien de vivre en milieu pleinement ensoleillé si le sol demeure constamment humide.

Le *Ligularia dentata* (syn. *L. clivorum*) porte de larges feuilles cordées ou arrondies, aux marges crénelées et à long pétiole; le feuillage forme une grosse touffe très décorative. L'inflorescence, une cyme aplatie de petits capitules, a de 60 cm à 1 m de hauteur. Les capitules exhibent un cœur foncé autour des ligules orange. Rustique (zone 4), cette ligulaire peut devenir au gré de son installation une plante vedette de belle allure. Outre l'espèce botanique, on connaît quelques cultivars, dont certains se trouvent facilement en pépinière : '**Desdemona**', à feuillage très sombre et fleurs orange foncé; '**Orange Queen**', de 1,20 m à 1,50 m de hauteur, à feuilles vertes et fleurs très larges de couleur jaune orange; '**Othello**', dont les feuilles sont d'une couleur très foncée, presque brune, et les fleurs orange (distance de plantation : de 80 à 90 cm).

Issue d'un croisement entre *Ligularia dentata* et *L. wilsoniana*, l'espèce *Ligularia x hessei* arbore de larges feuilles oblongues-cordées, d'un vert foncé, réunies en une touffe qui peut dépasser 2 m de diamètre. Elle porte une hampe florale de 1,20 m à 1,80 m de hauteur dont les capitules jaunes sont réunis en panicule. Les fleurs s'épanouissent entre la fin de juillet et la fin d'août (distance de plantation : de 90 cm à 1 m). Un cultivar très vigoureux, le '**Gregynog Gold**' est parfois vendu sous la dénomination de *L. x hessei*, bien qu'il provienne d'une hybridation entre les espèces *L. dentata* et *L. veitchiana*.

Originaire du Japon, de la Corée et de la Chine, le *Ligularia japonica* est plus difficile à obtenir dans nos pépinères (Voir photo 117, p. 162). Cette espèce rustique (zone 5) porte des feuilles longuement pétiolées, réniformes ou cordées, plus ou moins divisées en lobes inégaux. Les fleurs s'épanouissent, en juillet, au sommet d'une hampe florale de 1,20 m à 1,80 m de hauteur. Cette ligulaire à floraison hâtive s'adapte parfaitement à un ombrage moyen à dense (distance de plantation : de 60 à 70 cm).

Fort peu connue, l'espèce *Ligularia macrophylla* présente des tiges feuillées non ramifiées d'environ 1,40 m à 1,80 m de hauteur. Les feuilles basilaires sont elliptiques à ovales. L'inflorescence porte de petits capitules groupés sur un épi paniculé assez dense. Quoique rustique (zone 4), cette ligulaire se trouve difficilement sur le marché (distance de plantation : de 50 à 70 cm).

Le *Ligularia przewalskii* est une espèce rustique (zone 4) au feuillage d'une grande beauté. Les feuilles palmatilobées, très profondément lobées et au long pétiole sont groupées en touffes assez larges d'environ 60 à 70 cm de diamètre. Les fleurs à peine capitulées sont réunies sur un long épi de 1,20 m à 1,80 m de hauteur. L'inflorescence s'épanouit entre la mi-juillet et la fin d'août. On confond souvent cette vivace avec le *L. stenocephala* dont le cultivar 'The Rocket' est probablement un hybride de ces deux espèces (distance de plantation : de 70 à 80 cm).

Rustique (zone 4b) sous notre latitude, le *Ligularia stenocephala* se présente sous la forme d'une touffe de feuilles cordées à sagittées d'environ 35 cm de longueur, au sommet abruptement acuminé. Les fleurs à peine capitulées, d'environ 4 cm de diamètre, sont groupées en racème dense sur une hampe florale de 1 m à 1,20 m de hauteur (distance de plantation : de 70 à 80 cm). La floraison débute en juillet et perdure jusqu'au début d'août. Le cultivar 'The Rocket' est probablement un hybride de *L. stenocephala* et *L. przewalskii*, car son feuillage a des caractéristiques propres aux géniteurs (Voir photo 116, p. 162).

Le **Ligularia tangutica**, également connu sous le nom scientifique de *Senecio tanguticus*, est une espèce ignorée des amateurs (Voir photo 118, p. 163). Cette ligulaire a un feuillage très découpé, assez gracieux, formant une touffe de plus de 90 cm de diamètre. Une hampe florale s'élève à la fin d'août sur 1,20 m à 1,50 m. Au sommet s'épanouissent de nombreux capitules de fleurs ligulées jaunes. Rustique (zone 5), cette plante vigoureuse exige un sol meuble et frais (distance de plantation : 1 m).

Mal connue des amateurs, l'espèce **Ligularia veitchiana**, originaire de l'ouest de la Chine, fut introduite en Angleterre par l'intermédiaire de la célèbre pépinière Veitch. Les grandes feuilles basilaires, très décoratives, ont un limbe cordé à cordé-triangulaire, aux marges sinueuses et dentées. L'inflorescence est une panicule pyramidale de petits capitules jaunes à jaune orangé d'environ 90 cm de longueur et elle est portée sur une tige qui peut atteindre 1,50 m de hauteur. Cette espèce est considérée comme rustique (zone 5) dans le sud-ouest du Québec (distance de plantation : de 50 à 70 cm).

Désormais offert dans quelques pépinières, le **Ligularia wilsoniana** a des feuilles entières, cordées à réniformes, au long pétiole. La touffe de feuilles se dresse sur 25 à 35 cm de hauteur. En août, une hampe florale émerge du centre du feuillage et peut atteindre 1,40 m à 1,80 m de hauteur. Elle porte un racème colonnaire de fleurs capitulées aux ligules jaune or. Après fécondation, les fleurs produisent des fruits d'un bel effet décoratif. Cette espèce rustique (zone 4b) préfère un emplacement mi-ombragé sur un sol humifère, légèrement humide sans jamais être détrempé, et un climat frais (distance de plantation : de 60 à 70 cm).

Lilium

Le genre *Lilium* accueille un grand nombre d'espèces et de cultivars dont plusieurs peuvent croître en plates-bandes partiellement ombragées. Les lis asiatiques, les lis orientaux, les hybrides auréliens, les lis martagons et le lis du Canada tolèrent fort bien un emplacement mi-ombragé.

Le lis du Canada (*Lilium canadense*) est une espèce indigène que l'on aperçoit dans les champs légèrement humides ou à l'orée des érablières (Voir photo 119, p. 163). Il est cependant assez clairsemé sur le territoire québécois. Pour le plaisir des amateurs, ce lis est dorénavant offert dans la plupart des pépinières du Québec. Cette espèce présente des tiges feuillées de 80 cm à 1,50 m de hauteur, souvent ramifiées au sommet. Les fleurs, orange ou jaune orangé, en clochettes ouvertes et pendantes, sont groupées en racèmes très lâches au sommet des tiges et on peut en dénombrer une vingtaine sur un même plant. Elles s'épanouissent en juillet et se renouvellent jusqu'au début d'août. Ce lis n'est guère facile à cultiver, car il requiert un sol acide, à la fois bien drainé et légèrement humide. Pour ce faire, il faut amender la plate-bande avec un mélange de sable grossier et de mousse de tourbe. Sa rusticité (zone 3) est excellente dans le sud-ouest du Québec (distance de plantation : de 50 à 70 cm).

Le lis martagon (*Lilium martagon*) est une espèce rustique (zone 4) qui convient très bien à une plate-bande légèrement ombragée ou mi-ombragée; les tiges feuillées s'érigent sur 50 cm à 1 m de hauteur. Les fleurs aux pétales récurvés sont groupées en grappes terminales au sommet des tiges; une seule inflorescence regroupe de 5 à 30 fleurs d'un rouge vin très pâle qui s'ouvrent au début de juillet. Quelques cultivars sont offerts dans les bonnes pépinières : 'Album', aux segments blancs et étamines vertes; 'Cattaniae', un plant très florifère, aux segments rouge vin très foncé. Cette espèce nécessite un sol neutre à légèrement alcalin et riche en matière organique (distance de plantation : de 35 à 45 cm).

Liriope

Les *Liriope muscari* et *L. spicata* ne jouissent pas au Québec de la même popularité qu'aux États-Unis où ces plantes vivaces forment de jolies bordures sous la frondaison des arbres. Il est vrai que les liriopes sont peu connus ici et également peu rustiques (zone 5). Leurs touffes de feuilles ont une certaine similitude avec celles des graminées; elle mesure de 20 à 45 cm de hauteur et autant en étalement. En août, de petits épis de fleurs violacées s'élèvent au-dessus du feuillage. On peut parfois trouver en pépinière quelques cultivars de *Liriope muscari* (Voir photo 120, p. 163) : 'Grandiflora', aux épis plus larges, de couleur rose lavande; 'Majestic', au feuillage plus étroit et aux fleurs lavande; 'Munroe White', aux épis de fleurs blanches; 'Variegata', au feuillage marginé de jaune. Les liriopes exigent un emplacement mi-ombragé à ombragé, une terre meuble, riche en humus et bien drainée. Leur rusticité, aléatoire sous notre latitude, exige obligatoirement une excellente protection hivernale (distance de plantation : de 30 à 40 cm).

Lobelia

La plupart des espèces du genre *Lobelia* s'accommodent d'un milieu partiellement ombragé à mi-ombragé : *Lobelia cardinalis, L. x gerardii, L. siphilitica* et *L. x speciosa*.

La lobélie du cardinal (**Lobelia cardinalis**) est une jolie plante indigène rustique (zone 4b). En juillet, une hampe florale s'élève sur 80 cm à 1,20 m et se pare d'un racème de fleurs d'un rouge écarlate. Cette plante croît sur une terre à peine humide, en situation ensoleillée à mi-ombragée. Elle pousse mieux sur un substrat neutre à légèrement acide (pH 5,5 à 7). Sous notre latitude, une protection hivernale est recommandée. La multiplication par semis est facile; la germination nécessite une stratification au froid et une exposition des semences à la lumière. Pour ce faire, les graines seront disposées sur le substrat de germination dans une caissette recouverte d'un plastique et placée à l'extérieur au cours de l'automne. Au printemps, la germination débute quelques semaines après la fonte des neiges. La division des racines est également envisageable (distance de plantation : de 25 à 30 cm).

La grande lobélie bleue (**Lobelia sphilitica**) est une espèce indigène de l'Amérique du Nord; cette lobélie rustique (zone 5) est taxonomiquement assez proche de l'hybride **Lobelia x gerardii** (Voir photo 122, p. 164), également dénommé *L. vedrariensis*. Ses tiges feuillées se dressent sur 40 à 80 cm de hauteur; les fleurs sont d'une belle couleur bleu ciel et la floraison débute à la mi-juillet, puis se renouvelle jusqu'à la mi-septembre. On connaît deux cultivars qui sont cependant difficiles à obtenir dans les pépinières du Québec : 'Alba', aux fleurs blanches et 'Nana', un cultivar nain d'environ 30 cm de hauteur. Toutes les lobélies nécessitent un sol fertile, riche en matière organique et légèrement humide (distance de plantation : de 25 à 35 cm).

De plus en plus appréciées, les lobélies hybrides (*Lobelia x speciosa*) sont le résultat d'un croisement entre des plants rustiques de *L. cardinalis* avec les espèces *L. siphilitica* et *L. fulgens*. Ces hybrides sont considérés comme très rustiques et conviennent aux zones 3 et plus. Le cultivar 'Queen Victoria', même s'il est parfois catalogué sous l'espèce *L. x speciosa*, s'apparente plutôt au *Lobelia splendens*, une espèce non rustique dans le sud-ouest du Québec. Plusieurs très beaux cultivars sont connus : 'Brightness', un plant de 1,20 m de hauteur, aux fleurs rouge cerise et au feuillage bronzé; 'Compliment Scarlet', un plant de 1 m de hauteur, aux fleurs rouge écarlate (Voir photo 121, p. 164); 'Oakes Ames', un plant de 90 cm, aux fleurs rouge foncé; 'Wisley', un plant de 75 cm de hauteur, aux fleurs rouges (distance de plantation : de 30 à 40 cm).

Ces lobélies se plaisent en milieu ensoleillé, sur un sol limoneux, fertile et légèrement humide; leur croissance est bonne en milieu partiellement ombragé à mi-ombragé.

Lunaria

La plupart des amateurs connaissent bien la monnaie-du-pape (*Lunaria biennis*), une espèce bisannuelle très recherchée pour ses fruits décoratifs (siliques), très larges, arrondis, aplatis et translucides. Celle-ci s'accommode assez bien d'un emplacement mi-ombragé sur un sol humifère et fertile. Il existe également une espèce vivace, le *Lunaria rediviva*, beaucoup moins connue et plus difficile à trouver en pépinière (Voir photo 123, p. 164). Cette plante rustique (zone 4) porte des feuilles triangulaires cordées sur des tiges de 80 cm à 1 m de hauteur. Les fleurs formées de quatre pétales, d'un blanc légèrement rosé, sont groupées en racème lâche au sommet des tiges. Celles-ci s'épanouissent tôt au printemps. Ses fruits sont moins décoratifs que ceux du *Lunaria biennis*. Elle croît bien en milieu mi-ombragé, sur un sol bien drainé. Sa multiplication se fait aisément par semis (distance de plantation : 50 cm).

Luzula

Deux espèces du genre *Luzula*, les *L. nivea* et *L. sylvatica*, croissent en milieu mi-ombragé à ombragé.

Originaire de l'Europe, la luzule blanc-neige (**Luzula nivea**) forme une touffe gazonnante, aux feuilles linéaires d'abord érigées de 25 à 30 cm de hauteur, puis légèrement retombantes. L'inflorescence se dresse sur une hampe florale de 35 à 40 cm de hauteur (Voir photo 124, p. 164). Les fleurs blanchâtres, réunies en glomérules, ont un aspect cotonneux. Cette espèce rustique (zone 5) réclame un sol meuble, riche en matière organique et un emplacement de préférence mi-ombragé. On lui connaît trois cultivars encore difficiles à obtenir dans nos pépinières : '**Arctic Hair**', aux fleurs garnies de soies d'un blanc argenté; '**Scheehaeschen**', un plant de 40 cm de hauteur; '**Snowbird**', un plant au feuillage grisâtre et aux fleurs d'un blanc pur (distance de plantation : de 40 à 50 cm).

La luzule des bois (**Luzula sylvatica**) est une espèce intéressante, à touffes de feuilles étroites d'environ 20 à 40 cm de hauteur et de 30 à 50 cm de diamètre, d'un vert luisant, persistantes, érigées au centre et légèrement retombantes sur le pourtour. Les fleurs groupées en corymbes denses s'épanouissent, dès la fin de mai ou au début de juin, au sommet d'une hampe florale ramifiée de 60 à 70 cm de hauteur. L'espèce botanique est moins décorative que les nombreux cultivars offerts : '**aureomarginata**', au feuillage marginé de jaune et vieillissant sur un jaune crème (Voir photo 125, p. 165); '**Fern Friend**'(syn. '**Farnfreund**'), un plant nettement plus compact que les autres cultivars; '**High Tatra**' (syn. '**Hohe Tatra**'), dont le feuillage érigé forme une touffe arrondie; '**Tauern Pass**', au feuillage mat plutôt étalé. La rusticité de cette espèce (zone 4b) est supérieure à celle de la luzule blanc-neige (distance de plantation : de 35 à 50 cm).

Lysimachia

Originaire du Japon, de la Chine et de la Corée, la *Lysimachia clethroides*, bien que rustique (zone 4b), tarde à connaître une grande diffusion dans les plates-bandes des amateurs (Voir photo 126, p. 165). Cette jolie vivace, aux tiges feuillées érigées, mesure 60 à 80 cm de hauteur et arbore vers la mi-juillet jusqu'à la mi-août ou à la fin d'août de magnifiques épis arqués de petites fleurs blanches. Un sol meuble, riche en matière organique et profond, favorise le développement rapide de son rhizome traçant; sans réellement devenir envahissante, la lysimaque à fleurs de Clethra forme de grandes touffes denses. Bien qu'elle préfère un emplacement ensoleillé, sa croissance ne souffre pas d'une situation partiellement ombragée à mi-ombragée. Elle doit pourvoir bénéficier d'une bonne luminosité pendant plus de six heures (distance de plantation : de 40 à 50 cm).

L'herbe-aux-écus (*Lysimachia nummularia*) est une jolie espèce rampante qui forme, sur un sol meuble, profond et frais, un couvre-sol très intéressant. Les tiges portent des feuilles opposées et arrondies d'un vert lumineux qui s'allongent rapidement. Installée dans une plate-bande partiellement ombragée à ombragée, cette petite lysimaque contraste joliment avec la végétation environnante. De petites fleurs jaunes se développent, du début de juin jusqu'à la fin d'août, à l'aisselle des feuilles. Rustique (zone 4), cette petite vivace facile à cultiver peut également croître en milieu ensoleillée sous réserve que le sol demeure toujours frais. Le cultivar 'Aurea' (Voir photo 127, p. 166) arbore un feuillage doré extrêmement décoratif (distance de plantation : de 35 à 50 cm).

Très prisée des amateurs parce qu'elle est facile à cultiver, la lysimaque ponctuée (*Lysimachia punctata*) croît aussi bien en milieu ensoleillé que partiellement ombragé (Voir photo 128, p. 167). Cette vivace rustique (zone 4), aux tiges feuillées d'environ 60 cm à 1,20 m de hauteur, possède un rhizome traçant qui se développe rapidement sur un sol meuble, profond et préférablement frais. Les fleurs jaunes, groupées en verticilles de deux à quatre fleurs, s'épanouissent à l'aisselle des feuilles supérieures. Dans certains cas, cette lysimaque peut devenir envahissante au point de nuire à la croissance des végétaux environnants. On recommande de ceinturer l'emplacement par une bordure rigide (distance de plantation : de 40 à 60 cm).

Moins florifère, mais non dénuée d'intérêt, la lysimaque ciliée (*Lysimachia ciliata*) est une espèce indigène, rustique (zone 4), qui croît aussi bien en milieu ensoleillé que mi-ombragé à condition que le sol demeure constamment humide. Les tiges feuillées atteignent de 80 cm à 1,20 m de hauteur. Les fleurs jaunes pédonculées s'épanouissent à l'aisselle des feuilles (distance de plantation : de 45 à 60 cm).

Maianthemum

Le maïanthème du Canada (*Maianthemum canadense*) est une plante rhizomateuse qui pousse sur les sols frais des érablières boréales et des sapinières (Voir photo 129, p. 167). La tige grêle porte deux ou trois feuilles alternes, lisses et d'un vert luisant. Au début de juin, l'inflorescence forme une grappe de petites fleurs blanches au sommet qui émerge à peine du feuillage. Cette plante indigène croît sur un substrat organique plutôt acide (pH de 4 à 6,5) et en milieu mi-ombragé à ombragé. La division des rhizomes est le moyen le plus facile de la multiplier, mais la reproduction par semis demeure une possibilité. À partir de semis, les jeunes plants mettent plusieurs années à fleurir. La division des rhizomes s'effectue au début de l'automne avant le dessèchement du feuillage. On déterre avec délicatesse les segments des rhizomes avant de les diviser en deux. Avant de les recouvrir de terre, il faut s'assurer que chaque segment possède un bourgeon des futures feuilles (distance de plantation : de 10 à 15 cm).

Meconopsis

Le genre *Meconopsis* est connu d'un grand nombre d'amateurs à cause du pavot bleu de l'Himalaya (*Meconopsis betonicifolia*), l'emblème floral des jardins de Métis, autrefois domaine de Mme Elsie Reford (Voir photo 130, p. 167). Ce superbe pavot arbore de grandes fleurs bleu ciel à quatre pétales, de 8 à 10 cm de diamètre sur une hampe florale d'environ 1 m à 1,50 m de hauteur. Elles s'épanouissent dans le jardin de l'auteur (région de Montréal, zone 5) vers le début de juin ou à la mi-juin, un peu plus tard dans les zones plus nordiques. C'est une plante difficile à cultiver, mais qui est cependant plus rustique que sa cote ne l'indique. Les échecs dans le sud-ouest du Québec sont probablement dus soit à un milieu de croissance inadéquat, soit à un manque d'humidité. La transplantation est également une opération délicate. On conseille de transplanter directement les jeunes semis à l'emplacement définitif dès qu'ils ont deux ou trois feuilles. Au préalable, il faut amender le sol en profondeur avec un compost de feuilles et de la mousse de tourbe.

Ce pavot ne tolère ni les sols sablonneux au drainage excessif ni les sols argileux au drainage insuffisant. Le pavot bleu de l'Himalaya exige un emplacement légèrement ombragé à mi-ombragé. Une exposition ensoleillée conduit rapidement les plants au dépérissement (distance de plantation : de 35 à 50 cm).

Cette vivace éphémère est une espèce monocarpique. En d'autres mots, dès que le plant a fleuri, il meurt. À la base, on observe la formation de repousses qui garantissent une nouvelle floraison. Ce pavot se multiplie facilement par division des souches et par semis. Ces derniers doivent absolument passer par une période de stratification au froid (3°C) et le substrat de germination doit être acide pour favoriser la levée des graines.

On recommande expressément de ne pas laisser fleurir les jeunes plants avant la deuxième ou la troisième année d'introduction; on évite, ce faisant, de laisser s'épuiser les jeunes spécimens et l'on favorise plutôt leur vigueur. Deux autres espèces mériteraient un essai : le *Meconopsis grandis*, analogue à l'espèce décrite et le *M. napaulensis*, aux fleurs rouges. Ces pavots seraient rustiques sous notre latitude si une bonne couverture de neige les protège contre les rigueurs de l'hiver.

Meehania

Le **Meehania urticifolia** est une vivace de grand intérêt, mais que l'on trouve rarement dans les pépinières du Québec (Voir photo 131, p. 167). Originaire de Chine, de Corée et du Japon, cette plante de la famille de la menthe (*Labiatae*) croît dans son milieu naturel sur le sol des bois frais montagneux. Le *Meehania* a un port étalé, assez semblable à celui du lamier doré (*Lamiastrum galeobdelon*) quoique son feuillage soit plus terne. Les tiges feuillées ont de 20 à 30 cm de hauteur. Les fleurs bilabiées, de couleur lilas à bleu violacé, sont groupées à l'aisselle des feuilles supérieures. Celles-ci s'épanouissent vers la mi-mai. Sa rusticité reste à déterminer dans le sud-ouest du Québec, mais la plante résiste bien au climat hivernal dans le jardin du sous-bois du Jardin botanique de Montréal (zone 5). Cette vivace nécessite un sol meuble, humifère et bien drainé. Son feuillage est attaqué par les limaces. Il faut espérer qu'elle sera largement diffusée au Québec (distance de plantation : de 50 à 60 cm).

Melittis

Originaire d'Europe, la mélitte (**Melittis melissophyllum**) est une autre jolie plante ornementale peu connue des amateurs. Sa rusticité est encore à définir, mais elle résiste bien à nos hivers au Jardin botanique de Montréal (zone 5). Après quelques années de culture, cette plante herbacée, aux tiges feuillées opposées, lancéolées, d'environ 40 à 70 cm de hauteur et de 40 à 50 cm de diamètre, forme une touffe assez dense. Les fleurs tubulées, roses à lèvre blanche ou blanches à lèvre rose, s'épanouissent au début de juin à l'aisselle des feuilles supérieures. La mélitte réclame un sol meuble, riche en matière organique et frais, au pH neutre à légèrement alcalin. Un emplacement mi-ombragé à ombragé lui est nécessaire (distance de plantation : de 40 à 50 cm). La variété *albiflorum* arbore des fleurs entièrement blanches (Voir photo 132, p. 168). Cette vivace est difficile à obtenir dans les pépinières.

Mertensia

Le genre *Mertensia* est taxonomiquement assez semblable au genre *Pulmonaria*. Il renferme une quarantaine d'espèces dont quelques-unes seraient un gage de succès pour les plates-bandes de nos jardins. Ce genre est représenté au Québec par une espèce littorale, le

Mertensia maritima, très décorative avec son feuillage bleu à bleu argenté, mais malheureusement difficile à trouver en pépinière.

Le *Mertensia virginica*, facilement accessible sur le marché, est l'espèce la plus connue du genre (Voir photo 133, p. 168). C'est une plante indigène de l'est des États-Unis. Ses tiges feuillées, plus ou moins érigées, atteignent de 40 à 60 cm de hauteur. Les feuilles, ovales à ovales elliptiques, ont un coloris vert métallique vieillissant sur un vert glauque. Les corolles des fleurs tubulaires sont bleu ciel, roses ou blanches. Les fleurs se développent tôt au printemps, dès le début de mai. Deux cultivars sont offerts : 'Alba', à fleurs blanches et 'Rubra', à fleurs rose foncé. Cette espèce rustique (zone 5a) exige un emplacement mi-ombragé ou ombragé en sol humifère et profond. On constate à regret que le feuillage de la mertensie de Virginie disparaît entièrement quelque temps après la floraison (distance de plantation : de 50 à 60 cm).

Une autre espèce, le *Mertensia paniculata*, est parfois offerte dans quelques pépinières. Cette vivace rustique (zone 3) a de 60 à 80 cm de hauteur et de 50 à 60 cm de diamètre. Les feuilles vertes sont légèrement pubescentes. Le sommet de ses tiges feuillées porte en juin des cymes de fleurs tubulaires de couleur bleu foncé (distance de plantation : de 60 à 70 cm).

Milium

Le millet diffus (*Millium effusum*) est une graminée de milieu frais qui porte des feuilles rubanées en touffes d'environ 20 à 30 cm de hauteur et de 25 à 40 cm de diamètre. Le feuillage est d'une superbe coloration jaune or à vert tendre chez le cultivar 'Aureum' (Voir photo 134, p. 168). Une panicule de minuscules fleurs se dresse au sommet de la hampe florale de 35 à 50 cm de hauteur vers le milieu de l'été. Cette plante préfère un emplacement mi-ombragé et un sol profond enrichi de matière organique (distance de plantation : de 35 à 40 cm). Le millet diffus atteint sa limite septentrionale de rusticité (zone 5b) dans la grande région de Montréal. Il lui faut une protection hivernale sous forme d'un paillis de feuilles que l'on installera tard en automne.

Mitchella

Le pain-de-perdrix (**Mitchella repens**) est une vivace rampante qui croît dans les sous-bois riches des érablières, des forêts mixtes ou des forêts de conifères (Voir photo 135, p. 168). Les tiges subligneuses portent des feuilles persistantes et orbiculaires. Les fleurs blanches tubulaires s'épanouissent tôt au printemps au sommet des tiges feuillées. Des fruits rouges apparaissent au cours de l'été. Cette plante indigène rustique (zone 4) pousse sur un sol frais, humifère et en milieu mi-ombragé à ombragé. La reproduction s'effectue facilement par division des tiges rampantes. Chaque segment de 15 à 25 cm de longueur doit porter des radicelles pour permettre l'enracinement (distance de plantation : de 30 à 40 cm).

Mitella

La mitrelle à deux feuilles (**Mitella diphylla**) est une autre plante indigène de sous-bois qui, sans être aussi ornementale que la tiarelle cordifoliée, n'en demeure pas moins intéressante (Voir photo 136, p. 169). Les feuilles basilaires cordiformes à long pétiole sont réunies en touffes clairsemées. Des plants matures s'élèvent, vers la mi-mai ou la fin de mai, des hampes florales portant une paire de feuilles opposées, qui arborent au sommet un épi très lâche de petites fleurs en clochettes dont le bord des pétales est finement cilié. Rustique (zone 3), la mitrelle croît bien sur un sol meuble, humifère, au pH légèrement acide et en milieu mi-ombragé à ombragé (distance de plantation : de 20 à 25 cm).

Myosotis

Le myosotis demeure une plante vivace fort appréciée pour les sous-bois ou les plates-bande légèrement ombragées à mi-ombragées. Deux espèces sont recherchées : *Myosotis palustris* et *M. sylvatica*. Le myosotis des marais (**M. palustris**), également vendu sous le nom scientifique de *Myosotis scorpioides*, est une plante rustique (zone 3b) qui atteint de 15 à 25 cm de hauteur et s'étale sur 25 à 35 cm. Au début de mai, de petites fleurs bleu ciel à centre jaune s'épanouissent au-dessus du feuillage. Elles sont groupées en cymes scopioïdes. Quelques cultivars sont recensés, mais difficiles à trouver en pépinière : 'Alba', aux fleurs blanches; 'Pearl of Ronneburgh', aux fleurs bleu foncé; 'Sea Nymph', aux fleurs bleu pâle; 'Semperflorens', plant compact à la floraison abondante et prolongée.

Le myosotis des bois (*Myosotis sylvatica*) est une espèce moins rustique (zone 5), plus ou moins pérenne, cultivée de préférence comme une plante bisannuelle (Voir photo 137, p. 169). Ce myosotis mesure de 15 à 20 cm de hauteur, quelquefois plus, et porte au début de mai des cymes scorpioïdes plus allongées, à petites fleurs bleues chez l'espèce botanique. Plusieurs cultivars sont offerts, quelquefois sous forme de semences : 'Blue Ball', un plant compact à fleurs bleues; 'Carmine King', aux fleurs d'un rose moyen; 'Royal Blue', un plant de 25 à 30 cm de hauteur, aux fleurs d'un bleu très foncé; 'Victoria Mixed', plant compact offert en divers coloris de blanc, bleu et rose. Dans certaines pépinières, c'est le *Myosotis alpestris* que l'on commercialise sous le nom de *M. sylvatica*.

De culture facile, les myosotis nécessitent un sol meuble, humifère et plutôt frais en milieu mi-ombragé de préférence. Ils tolèrent un emplacement ensoleillé sous réserve que la terre reste fraîche. Les deux espèces se ressèment facilement et envahissent la plate-bande, mais comme les jeunes plants s'arrachent sans peine, cela ne cause pas de réel problème. Au contraire, en se mêlant aux autres vivaces, notamment aux plantes bulbeuses printanières, leur floraison crée, tôt au printemps, une large tache de couleur dans la plate-bande. Les myosotis sont très vulnérables au mildiou et des traitements phytosanitaires préventifs sont expressément recommandés dès la feuillaison des plants. Comme cette maladie s'installe peu après la floraison, l'amateur peut également rabattre tous les plants, puis les laisser repousser au cours de l'été.

Myrrhis

Le cerfeuil musqué (*Myrrhis odorata*) a un feuillage très décoratif dont la morphologie générale rappelle l'aspect vaporeux des limbes des certaines fougères (Voir photo 138, p. 169). Cette espèce rustique (zone 4b) appartient à la famille des apiacées autrefois nommées ombellifères; elle fleurit à la mi-juillet et présente une ombelle de petites fleurs blanches sur une hampe florale, ramifiée au sommet, d'environ 50 à 80 cm, quelquefois plus. La floraison n'ajoute rien à la valeur ornementale de la plante et on devrait la supprimer avant l'épanouissement de l'inflorescence pour conserver sa densité au feuillage. Comme son nom l'indique, celui-ci exhale une odeur agréable; d'ailleurs la plante est souvent vendue avec les plantes aromatiques et condimentaires. Le cerfeuil musqué requiert un sol meuble, profond, riche en matière organique et une exposition ensoleillée. Il tolère bien un emplacement légèrement ombragé à mi-ombragé (distance de plantation : de 60 à 80 cm). La multiplication s'effectue facilement par semis.

Oenanthe

L'*Oenanthe javanica* '**Flamingo**' demeure encore une inconnue pour la plupart des amateurs de vivaces (Voir photo 139, p. 170). Cette plante rustique (zone 5) a un feuillage composé à l'aspect plumeux, d'un vert glauque panaché de rose et de blanc. Cette panachure, plus visible au début de la croissance, s'estompe par la suite. La croissance de cette vivace d'environ 30 à 45 cm de hauteur est proprement phénoménale. En une seule saison de croissance en milieu ensoleillé, elle occupe cinq à six fois plus d'espace qu'au moment de la plantation. Sous une demi-ombre, sa croissance est moins rapide, mais reste néanmoins très satisfaisante. Comme l'oenanthe produit des racines à chacun des nœuds de ses tiges rampantes, elle a donc tendance à envahir la plate-bande. Dans un petit jardin, cette plante causerait plus d'inconvénients que d'avantages. En revanche, sur de larges surfaces, elle constitue un excellent couvre-sol. Il lui faut un sol meuble, riche en matière organique, bien drainé et frais. Sa rusticité reste encore à déterminer avec précision, mais elle repousse sans difficulté dans le jardin du sous-bois du Jardin botanique de Montréal (distance de plantation : de 70 à 90 cm).

Omphalodes

L'omphalode printanier (**Omphalodes verna**) est une vivace qui a une certaine ressemblance avec le myosotis du Caucase (*Brunnera macrophylla*) et, dans une moindre mesure, avec le véritable myosotis (*Myosotis*). Cette espèce atteint dans le sud-ouest du Québec sa limite septentrionale de rusticité (zone 5b) et nécessite donc un emplacement où la couche de neige sera abondante (Voir photo 140, p. 170). Grâce à son rhizome, cette vivace couvre assez rapidement l'espace où elle est installée. Ses feuilles ovales à cordiformes sont d'un beau vert tendre; le feuillage atteint de 15 à 20 cm de hauteur et s'étale sur 30 à 40 cm. Dès la mi-mai, des hampes florales portent de petites fleurs bleu ciel à bleu moyen, réunies en racèmes lâches, s'épanouissant au-dessus du feuillage. Le cultivar 'Alba' porte des fleurs blanches et le cultivar 'Grandiflora' se pare de fleurs bleues plus larges que celles de l'espèce botanique. Cette vivace réclame un sol humifère, meuble et toujours frais en milieu mi-ombragé à ombragé (distance de plantation : de 35 à 45 cm).

Paeonia

La plupart des pivoines sont des vivaces de milieu ensoleillé, bien qu'elles tolèrent un emplacement légèrement ombragé. Quelques espèces botaniques, dont la **Paeonia obovata**, sont reconnues spécifiquement pour leur tolérance à l'égard de l'ombre. Originaire de Chine, le *P. obovata* mesure de 40 à 60 cm de hauteur et son feuillage a une couleur vert glauque (Voir photo 141, p. 170). En juin, elle porte de jolies fleurs simples d'un rose profond. Il existe également une variété à fleurs blanches, mais à l'instar de l'espèce botanique, elle reste encore difficile à obtenir. Cette pivoine est rustique (zone 5) dans le sud-ouest du Québec et l'on se prend à souhaiter que cette jolie plante à floraison hâtive soit un jour largement commercialisée. Elle exige un sol profond, meuble, bien drainé et riche en matière organique (distance de plantation : de 70 à 90 cm).

Paris

La parisette (**Paris quadrifolia**) est une petite plante vivace, rustique (zone 5), qui ressemble aux trilles. Elle se démarque toutefois du genre *Trillium* par la structure de sa fleur (Voir photo 142, p. 170). Chez les trilles, les pièce florales sont réunies par trois ou multiples de trois pour les étamines (trois sépales, trois pétales et trois carpelles), alors que chez la parisette, les pièces florales sont regroupées par quatre. La fleur printanière est peu décorative; en revanche, le feuillage, d'une hauteur de 15 à 20 cm, embellit un sous-bois ou l'avant d'une plate-bande mi-ombragée à ombragée. Cette vivace bulbeuse croît sur un sol meuble, riche en matière organique et à pH légèrement acide (distance de plantation : de 15 à 20 cm). Une certaine protection hivernale lui est nécessaire.

Patrinia

Le genre *Patrinia* est peu connu des amateurs. Sans être spectaculaires, les différentes espèces rustiques dans le sud-ouest du Québec, le **Patrinia gibbosa** (zone 5a) ou le **P. scabiosifolia** (zone 5b), agrémentent une plate-bande en situation légèrement ombragée (Voir photo 143, p. 171). Le *Patrinia gibbosa*, espèce la plus rustique, mesure de 50 à 70 cm de hauteur et de 25 à 30 cm de diamètre. Ses feuilles sont ovales-lancéolées, dentées, de couleur vert foncé. À la mi-juillet s'élève une hampe florale, ramifiée au sommet, portant un corymbe lâche de petites fleurs d'un jaune moyen. Cette vivace requiert un sol meuble, profond, bien drainé, au pH légèrement acide (distance de plantation : de 40 à 50 cm).

Petasites

La pétasite du Japon (**Petasites japonicus**) est une vivace intéressante, quoique envahissante. Associée à d'autres, c'est un atout pour une plate-bande en milieu mi-ombragé à condition de l'isoler de ses voisines par une bordure rigide. En effet, cette grande pétasite possède un rhizome traçant vigoureux qui s'étend rapidement en sol meuble. Les feuilles cordiformes, de plus de 80 cm de diamètre chez le cultivar 'Giganteus', d'un vert foncé à bord plus ou moins ondulé, ont un pétiole de 30 cm à 1,50 m de hauteur. Le feuillage, une grosse touffe d'environ 1,25 m à 2 m de diamètre, donne un cachet particulier à une plate-bande. Tôt au printemps, avant la feuillaison, des capitules blanchâtres se regroupent en un corymbe arrondi émergeant du sol. Rustique (zone 4b), cette vivace s'accommode d'un emplacement ensoleillé à mi-ombragé sous réserve que le sol demeure constamment humide. La proximité d'un ruisseau ou d'un étang lui convient parfaitement. Plus difficile à obtenir, le *Petasites japonicus* '**Variegatus**' (Voir photo 144, p. 171) porte des feuilles panachées de jaune crème au printemps; cette coloration s'estompe graduellement au cours de l'été (distance de plantation : de 1,25 m à 1,50 m).

Phlox

Originaire de l'est de l'Amérique du Nord, le *Phlox divaricata*, également connu sous le nom scientifique de *P. canadensis*, est une espèce rustique (zone 4) qui croît en pleine nature dans les sous-bois ouverts. Les tiges feuillées, plus ou moins dressées, ont de 20 à 30 cm de hauteur et s'étalent sur 30 à 40 cm. Les fleurs, à cinq pétales blancs quelquefois lavande, bleu violacé ou lilas, sont groupées en ombelles terminales au-dessus du feuillage. La floraison débute vers la mi-mai et se renouvelle jusqu'à la mi-juin ou la fin de juin. Une sous-espèce, le *Phlox divaricata* **ssp.** *divaricata*, a des pétales profondément incisés. D'un effet superbe en plate-bande, le cultivar '**Fuller's White**' arbore des fleurs d'un blanc pur (Voir photo 145, p. 171). En massif constitué de plusieurs plants, il illumine l'emplacement. Cette espèce nécessite un sol fertile, humifère, légèrement humide mais non détrempé en milieu légèrement ombragé ou mi-ombragé (distance de plantation : de 30 à 40 cm).

Originaire de l'Amérique du Nord, le *Phlox stolonifera* (syn. *P. reptans*) est une autre espèce digne d'embellir les plates-bandes mi-ombragées. Cette espèce rustique (zone 3b) s'étend grâce à des tiges traçantes, porteuses de feuilles opposées. Les tiges florales se dressent sur 10 à 25 cm et arborent, vers la fin de mai ou au début de juin, de petites fleurs à cinq pétales réunies en cymes terminales. Ce phlox croît en sol meuble, profond, toujours frais, sur un emplacement mi-ombragé. Il dépérit rapidement dans une terre compactée ou sablonneuse, à drainage excessif (distance de plantation : de 40 à 45 cm). Quelques cultivars se trouvent en pépinière : 'Blue Ridge', aux fleurs bleu lilas; 'Bruce's White', à fleurs blanches, 'Pink Ridge' et 'Sherwood Purple', aux fleurs rose foncé.

Phyteuma

Le genre *Phyteuma* de la famille des campanulacées renferme une espèce assez esthétique qui gagnerait à être mieux connue, le *Phyteuma nigrum* (Voir photo 146, p. 171). Originaire d'Europe, cette vivace a des tiges feuillées de 20 à 25 cm de hauteur. Les fleurs cylindriques de ton violet noirâtre, sont réunies sur un épi cylindrique et s'épanouissent entre la fin de juin et la fin de juillet. Sous notre latitude, cette espèce atteint sa limite septentrionale de rusticité (zone 5) et exige donc une protection hivernale. Elle croît sur un sol profond, riche en matière organique, dans un emplacement mi-ombragé à ombragé (distance de plantation : de 25 à 30 cm).

Podophyllum

Le genre *Podophyllum*, originaire de l'Asie et de l'est de l'Amérique du Nord, comporte quelques espèces dont deux, les *Podophyllum hexandrum* et *P. peltatum*, sont offertes dans certaines pépinières. Le podophylle pelté ou pomme de mai (*P. peltatum*) croît en pleine nature dans les sous-bois fertiles des érablières à caryer; rare dans le sud-ouest du Québec, cette espèce ne devrait jamais être cueillie. Ce podophylle rustique (zone 5), à rhizome horizontal très vigoureux, a des feuilles profondément lobées portées sur un pétiole de 30 à 60 cm de longueur. Les fleurs assez discrètes ont des pétales blanc crème qui se forment au printemps sous le feuillage. On l'apprécie pour son feuillage assez particulier qui permet de créer un effet de contraste avec celui des astilbes, des anémones, de fougères, etc. (distance de plantation : de 50 à 60 cm). La plante se multiplie assez facilement par division des rhizomes. Comme son suc est légèrement corrosif, il vaut mieux porter des gants pour les manipuler. On divise le rhizome en veillant à conserver au moins un bourgeon par portion sectionnée. Les graines seront récoltées à la maturation des fruits; pour germer, elles doivent passer par une période de stratification au froid pendant 8 à 12 semaines.

Moins rustique (zone 5b), le **Podophyllum hexandrum** est une espèce taxonomiquement assez proche du *P. peltatum*, mais elle est plus décorative encore grâce à ses grosses feuilles vert foncé, d'une couleur vert bronzé à la feuillaison (Voir photo 147, p. 172). Cette plante réclame un sol meuble, bien drainé, humifère et toujours frais. Les podophylles supportent mal une période de sécheresse même passagère. Une protection hivernale, sous la forme d'un épais paillis de feuilles, est recommandée (distance de plantation : 50 cm).

Polemonium

L'échelle-de-Jacob, également nommée valériane grecque (**Polemonium caeruleum**), est une vivace rustique (zone 4) en formant une touffe de 20 à 30 cm de diamètre, dont les feuilles sont composées de nombreuses folioles très étroites (Voir photo 148, p. 172). Du feuillage s'élèvent des hampes florales de 45 à 80 cm de hauteur, plus ou moins feuillées et portant des panicules de petites fleurs bleu violacé. L'inflorescence s'épanouit au début de juin. On trouve facilement en pépinière le cultivar 'Album', à fleurs blanches. L'échelle-de-Jacob exige un sol meuble, humifère et frais en milieu ensoleillé à mi-ombragé (distance de plantation : de 30 à 45 cm).

Assez semblable à l'espèce précédente, le *Polemonium foliosissimum* est également rustique (zone 4b) dans le sud-ouest du Québec.

Le **Polemonium reptans** diffère des autres espèces par son port étalé. Rustique (zone 4a), cette vivace au feuillage composé, aux folioles oblongues à lancéolées, s'étale sur 40 à 50 cm. L'inflorescence a de 20 à 30 cm de hauteur. Les petites fleurs campanulées, bleues chez l'espèce botanique, s'épanouissent à la mi-juin ou à la fin de juin. Plusieurs cultivars sont offerts : '**Album**', à fleurs blanches; '**Blue Pearl**', à fleurs bleues; '**Pink Beauty**', à fleurs roses; '**Sapphire**', à fleurs lavande (distance de plantation : 50 cm).

Polygonatum

Le genre *Polygonatum*, mieux connu sous le nom de sceau-de-Salomon, renferme quelques espèces ornementales qui conviennent parfaitement à un emplacement mi-ombragé ou ombragé. Outre l'espèce indigène, le *Polygonatum pubescens*, l'amateur peut se procurer en pépinière les *P. x hybridum*, *P. multiflorum* et *P. odoratum* 'Variegatum' (Voir photo 149, p. 172).

Le ***Polygonatum x hybridum*** est issu d'un croisement entre les espèces *P. multiflorum* et *P. odoratum*. Ses élégantes tiges feuillées, plutôt arquées, ont de 60 à 90 cm de hauteur. Les feuilles sessiles sont étroitement lancéolées. Les fleurs pendantes, de couleur blanc crème à blanc verdâtre, sont groupées par quatre à l'aisselle des feuilles sur toute la longueur de la tige. Celles-ci apparaissent vers la fin de mai. Son rhizome souterrain est vigoureux et forme une colonie dense s'il croît sur un sol meuble, bien drainé et riche en matière organique (distance de plantation : de 25 à 30 cm).

Le ***Polygonatum multiflorum*** est une espèce rustique (zone 4), aux tiges feuillées d'environ 70 cm de hauteur; les fleurs d'un blanc verdâtre sont groupées par trois à cinq à l'aisselle des feuilles. La floraison débute à la mi-mai et se poursuit jusqu'au début de juin. On trouve ces cultivars sur le marché : **'Flore Pleno'**, à fleurs doubles; **'Striatum'**, au feuillage panaché de blanc crème (distance de plantation : de 25 à 30 cm).

Analogue aux autres espèces, le ***Polygonatum odoratum*** arbore également des tiges feuillées, arquées, d'environ 45 cm de hauteur. Au printemps, des fleurs tubulaires d'un blanc crème se développent, solitaires ou par paires, sous l'aisselle des feuilles. La rusticité de cette espèce est excellente dans le sud-ouest du Québec (zone 4). Le cultivar **'Variegatum'**, facile à trouver en pépinère, se pare d'un joli feuillage panaché (distance de plantation : de 25 à 30 cm).

Notre sceau-de-Salomon indigène (***Polygonatum pubescens***) est une espèce rustique (zone 4) qui croît dans le sous-bois des érablières. De son rhizome souterrain s'élance une tige arquée d'environ 30 à 70 cm de hauteur, qui porte des feuilles ovales alternes. Les petites fleurs blanc verdâtre sont réunies par paires à la base des feuilles. Bien que cette vivace supporte un ombrage moyen à dense, elle préfère un emplacement légèrement ombragé. Il lui faut un sol profond, humifère, légèrement humide mais jamais détrempé et au pH légèrement acide. Le sceau-de-Salomon se multiplie par division du rhizome ou par semis. La division du rhizome s'effectue tôt au printemps ou au début de l'automne. Il faut prélever des segments du rhizome portant des bourgeons de feuilles. Les graines seront récoltées à maturation des fruits; une période de stratification au froid est nécessaire (deux mois à 4°C). Les graines germent mieux dans l'obscurité qu'à la lumière.

Polygonum

La renouée en tapis (**Polygonum affine**) est une merveilleuse vivace rustique (zone 3b), qui forme un couvre-sol aux réelles qualités ornementales (Voir photo 150, p. 173). Cette renouée rampante, à feuilles oblongues-lancéolées, s'étale rapidement sur un sol meuble, frais et profond. Elle s'associe fort bien à de nombreuses vivaces et ne doit pas être confinée à une rocaille ou à un jardin alpin. Son feuillage d'un vert moyen acquiert en automne une coloration rougeâtre. Dès la fin de juin, de petits épis de fleurs roses s'élèvent au-dessus du feuillage et se renouvellent jusqu'aux fortes gelées automnales. Quelques cultivars sont offerts : '**Darjeeling Red**', un plant plus compact, aux inflorescences d'un rose rougeâtre; '**Donald Lowndes**', aux épis rose corail. Cette renouée croît de préférence en milieu partiellement ombragé, mais elle tolère un emplacement ensoleillé sous réserve que le sol demeure frais durant toute la saison de croissance (distance de plantation : de 40 à 50 cm).

Une autre espèce, la bistorte (**Polygonum bistorta**), également vendue sous le nom de *Persicaria bistorta*, mérite certainement une place de choix dans le jardin (Voir photo 151, p. 173). Cette espèce rustique (zone 3b) est haute de 50 à 80 cm et porte des feuilles oblongues-ovales de couleur vert moyen. Les fleurs roses sont réunies en épis dressés au-dessus du feuillage. Ceux-ci se développent vers la mi-juin ou à la fin de juin et se renouvellent jusqu'à la fin de l'été. L'espèce botanique est délaissée au profit du cultivar 'Superbum'. Ce dernier porte des inflorescences plus larges et à floraison abondante. Il croît sur un sol meuble, humifère, bien drainé et plutôt frais; ce cultivar ne tolère pas les sols secs (distance de plantation : 50 cm).

Moins connue et plus difficile à obtenir, la renouée amplexicaule (*Polygonum amplexicaule*) semble rustique (zone 5) dans le sud-ouest du Québec. L'espèce forme une touffe de feuilles assez dense, d'où s'élèvent des épis de fleurs rouge vif chez le cultivar 'Atrosanguineum', ou blanches chez le cultivar 'Album'. L'ensemble de la plante a de 60 cm à 1 m de hauteur. Cette espèce croît bien en milieu partiellement ombragé ou ensoleillé, à condition que le sol reste meuble et frais durant la canicule (distance de plantation : 60 cm).

Primula

Le genre *Primula*, avec ses centaines d'espèces et ses nombreux cultivars, regroupe des vivaces qui croissent parfaitement en milieu mi-ombragé. Parmi toutes les espèces connues et facilement accessibles dans les pépinières, l'amateur peut choisir entre les *Primula auricula, P. denticulata, P. japonica, P. x polyantha, P. rosea, P. saxatilis* et *P. vialii*. Toutes ces espèces exigent un sol meuble, riche en matière organique et frais.

Originaire des Alpes, la primevère à oreille d'ours (*Primula auricula*) est une jolie espèce rustique (zone 4b). Elle forme une rosette de feuilles ovales à oblancéolées, de 15 à 20 cm de diamètre, couvertes d'une poudre blanchâtre sur les sols calcaires. Les fleurs jaunes ou rose foncé à œil jaune, de 2 à 4 cm de diamètre, sont groupées en ombelle sur une hampe florale de 15 à 20 cm de hauteur. Elle fleurit au début de juin ou à la mi-juin. L'espèce botanique a donné lieu à de nombreux croisements, notamment avec les *Primula villosa* et *P. viscosa*. Les hybrides obtenus, aux fleurs de diverses couleurs, sont désignés sous le nom de **Primula x pubescens** (distance de plantation : de 25 à 30 cm).

La primevère en boule (*Primula denticulata*) est une espèce rustique (zone 4) couramment offerte dans les pépinières du Québec (Voir photo 152, p. 174). Dès la début de mai, une hampe florale de 10 à 20 cm de hauteur s'élève du centre du feuillage naissant. Les fleurs réunies en ombelle sphérique sont de couleurs variées selon les cultivars : blanc, de rose pâle à rose foncé, de lilas à mauve. Elles demeurent sur la hampe florale jusqu'à la fin de mai ou au début de juin. Le feuillage dépérit dans le courant de l'été. Plusieurs cultivars ont été produits : '**Alba**', aux fleurs blanches; '**Bressingham Beauty**', aux fleurs rose foncé; '**Inshriach Carmine**', aux fleurs rouge carmin; '**Robinson's Red**', aux fleurs rouges; '**Rubin**', aux fleurs rouge pourpré (distance de plantation : de 20 à 30 cm).

Originaire du Japon, le *Primula japonica* est généralement la seule espèce du groupe des primevères candélabres qui soit en vente dans la plupart des pépinières (Voir photo 153, p. 174). Rustique (zone 5) et facile à cultiver, elle réclame un sol meuble, profond, frais et même légèrement humide. La proximité d'un plan d'eau est pour elle un avantage. Les feuilles, d'oblongues-obovales à spatulées, aux bords irrégulièrement dentés, sont groupées en rosette basilaire. La hampe florale se dresse au centre du feuillage à une hauteur de 45 à 60 cm et les fleurs sont réunies en plusieurs verticilles de 7 à 11 fleurs. La couleur des fleurs varie du rouge au pourpre, au rose et au blanc. On trouve facilement dans les bonnes pépinières le cultivar '**Miller's Crimson**', aux fleurs d'un rouge intense (distance de plantation : de 30 à 35 cm).

Largement diffusées, les primevères des jardins (*Primula x polyantha*) sont autant appréciées comme potée fleurie que comme fleur de pleine terre. Selon Michel-André Otis, horticulteur responsable du sous-bois du Jardin botanique de Montréal, la rusticité de cet hybride est aléatoire dans le sud-ouest du Québec. Il faut lui réserver un emplacement où la neige s'accumule en abondance. Sans cela, les plants se livrent à un départ végétatif trop hâtif qui expose le nouveau feuillage aux morsures du gel printanier. On trouve dans les bonnes pépinières de nombreux cultivars ou des semis (*seedlings*) aux larges fleurs de couleurs variées. La série **Pacific Giants** offre des plants de 10 à 20 cm de hauteur, mais ils semblent moins rustiques : 'Blue Deep', à fleurs bleues; 'Golden Yellow', à fleurs jaune vif; 'Pink', à fleurs roses; 'Scarlet & Bright Red Shades', à fleurs d'un rouge intense. Les séries **Callina, Cowichan** (Voir photo 154, p. 174), **Romeo** et **Presage** proposent des coloris variés (distance de plantation : de 20 à 25 cm). On connaît deux cultivars à feuillage panaché : 'Campfire', aux fleurs d'un rouge magenta et au feuillage bordé de jaune; 'Snow Cap', aux fleurs bleu foncé et au feuillage marbré de blanc. Comme toutes les primevères, cette espèce exige un sol meuble, riche en matière organique et frais. Elle ne tolère pas une terre trop sèche ou trop lourde.

La primevère rose (*Primula rosea*) est une espèce qui se distingue par la présence, au revers du limbe, d'une poussière farineuse (Voir photo 155, p. 175). Cette petite plante vivace rustique (zone 4b), de 10 à 15 cm de hauteur, a une touffe dense de feuilles étroitement lancéolées. La hampe florale émerge dès la feuillaison; elle porte une ombelle constituée de quatre à sept fleurs rose vif. Cette espèce croît sur un sol organique plutôt humifère, dans un milieu mi-ombragé ou ensoleillé à condition que la terre demeure fraîche (distance de plantation : 15 cm).

La primevère des murailles (*Primula saxatilis*) est une espèce en vente dans les bonnes pépinières et parfois commercialisée sous le nom de *P. cortusoides*. De fait, les deux espèces sont presque identiques. Rustique (zone 3b), cette primevère arbore une rosette basilaire de feuilles lobées et gaufrées. Du feuillage s'élève, au début de juin, un hampe florale de 15 à 25 cm de hauteur qui porte une ombelle de fleurs rose violacé. Elle requiert un sol bien drainé et de préférence riche en matière organique (distance de plantation : de 20 à 25 cm).

Le *Primula vialii* pousse en pleine nature dans les prairies humides ou les sous-bois des montagnes du Yunan et du Sichuan en Chine (Voir photo 156, p. 175). Les feuilles étroitement lancéolées et irrégulièrement dentées sont réunies en rosette basilaire de 20 à 30 cm de diamètre. Les hampes florales se dressent au début de juin ou à la mi-juin à une hauteur de 35 à 50 cm. Les épis portent de petites fleurs tubulaires d'une couleur mauve rosé. Cette jolie primevère rustique (zone 5) exige un milieu mi-ombragé et un sol riche en matière organique et frais. Dans le sud-ouest du Québec, elle nécessite une protection hivernale.

Pulmonaria

Les *Pulmonaria angustifolia*, *P. rubra* et *P. saccharata*, ainsi que leurs nombreux cultivars, devraient avoir une place de choix dans les plates-bandes en milieu mi-ombragé ou ombragé.

La pulmonaire à feuilles étroites (***Pulmonaria angustifolia***) est une espèce rustique (zone 4) d'environ 30 cm de hauteur, aux feuilles lancéolées, entièrement vertes. Bien que son feuillage soit plus sobre que celui des autres espèces décrites, cette pulmonaire mérite d'être installée au jardin, car elle rivalise assez bien avec le feutre racinaire des arbres. Les petites fleurs en forme de clochettes, réunies en cymes terminales, s'ouvrent sur un coloris rouge carmin et virent au bleu ciel en vieillissant. La floraison commence au début de mai et se renouvelle jusqu'au début de juin. Quelques cultivars sont connus : '**Alba**', aux fleurs blanches; '**Azurea**', aux fleurs d'un bleu gentiane pâle; '**Munstead Blue**', un cultivar vigoureux aux fleurs bleu pâle (distance de plantation : de 30 à 40 cm).

Moins connue mais digne d'intérêt, la pulmonaire des Carpates (***Pulmonaria rubra***) devrait être essayée en plates-bandes (Voir photo 157, p. 175). Cette espèce aux feuilles lancéolées, entièrement vertes et légèrement pubescentes, forme une touffe de 20 à 30 cm de hauteur et de 30 à 35 cm de diamètre. Elle porte de petites fleurs qui varient du rouge au rouge saumoné, groupées en cymes terminales par-dessus le feuillage. Elle fleurit tôt, quelques semaines après la fonte des neiges, et sa floraison se renouvelle jusqu'au début de juin ou jusqu'à la mi-juin. Sa rusticité est excellente (zone 4b) pour le sud-ouest du Québec (distance de plantation : de 35 à 40 cm).

La pulmonaire d'Espagne (***Pulmonaria saccharata***) est très prisée des amateurs pour son feuillage tacheté d'argent qui garde sa beauté durant toute la saison de croissance (Voir photo 158, p. 175). D'une hauteur de 20 à 30 cm, elle s'étale sur 30 à 40 cm. Les fleurs, à l'instar des autres espèces, forment de petites clochettes à corolle rose foncé. Plusieurs cultivars existent en pépinière : '**Argentifolia**', au feuillage superbe de couleur argent vif; '**Bowles Red**', dont la corolle des fleurs est plutôt rougeâtre; '**Janet Fisk**', le plus teinté d'argent de tous les cultivars; '**Margary Fish**', aux feuilles maculées d'argent; '**Mrs Moon**', le plus connu, a des feuilles larges, des boutons floraux roses qui s'ouvrent sur un coloris bleu foncé et un feuillage tacheté d'argent; '**Roy Davidson**', au feuillage tacheté d'argent; '**Sissinghurst White**', un cultivar prostré à fleurs blanches, au feuillage finement tacheté d'argent. Le groupe des pulmonaires fait maintenant l'objet d'hybridations; de nouveaux cultivars au feuillage décoratif seront en vente dans un proche avenir. Le cultivar '**Excalibur**' représente assez bien cette nouvelle génération de pulmonaires. Il arbore de magnifiques feuilles argentées finement ourlées de vert foncé (distance de plantation : de 40 à 50 cm).

Rheum

La rhubarbe ornementale (***Rheum palmatum***) préfère un emplacement pleinement ensoleillé, bien que sa croissance ne soit pas contrariée par une exposition légèrement ombragée à mi-ombragée. La variété *tanguticum* aux grosses feuilles vert foncé, profondément lobées et à la hampe florale rougeâtre pouvant atteindre de 1,50 m à 2 m de hauteur, est particulièrement intéressante. Cette vivace de grande taille fait toujours sensation dans une plate-bande. Le cultivar '**Atropurpureum**'(Voir photo 159, p. 176), également sur le marché, se pare de nouvelles feuilles d'un rouge pourpré et arbore une inflorescence extrêmement décorative par ses fleurs rouge sang (distance de plantation : 1,50 m).

Rodgersia

Le genre *Rodgersia* renferme de quatre à six espèces selon les interprétations des botanistes; il est apparenté à celui des astilbes. La plupart des espèces, soit *Rodgersia aesculifolia*, *R. pinnata*, *R. podophylla*, *R. sambucifolia* et *R. tabularis* (cette dernière est vendue sous le nom scientifique d'*Astilboides tabularis*) sont rustiques (zone 4) dans le sud-ouest du Québec. Leur feuillage et leur inflorescence en font un ornement idéal pour le jardin mi-ombragé à ombragé. Selon les espèces, les feuilles sont composées, digitées ou imparipennées. Les larges folioles aux nervures très apparentes constrastent avec des vivaces à feuillage plus délicat telles que les astilbes, les dicentres, les *Cimicifuga*, les fougères, etc. Ces plantes exigent un sol humifère, profond, fertile et légèrement humide; elles ne tolèrent pas les sols saturés d'eau. Les *Rodgersia* s'accommodent d'un emplacement pleinement ensoleillé à condition qu'ils soient implantés en bordure d'un cours d'eau.

Le **Rodgersia aesculifolia** a des feuilles digitées, formées de cinq à sept folioles ovales aux nervures très apparentes, sur des pétioles hauts d'environ 35 à 50 cm (Voir photo 160, p. 176). Le feuillage ressemble à celui du marronnier d'Inde (*Aesculus hippocastanum*) et ce détail lui vaut son nom d'espèce. À la fin de juin ou en juillet, l'inflorescence se dresse sur 80 cm à 1 m de hauteur; les petites fleurs blanches ou blanc crème sont groupées en une grappe composée (distance de plantation : de 75 cm à 1 m).

Comme son nom d'espèce l'indique, le **Rodgersia pinnata** porte des feuilles pennées, formées de six à neuf folioles. Le feuillage a une hauteur de 40 à 70 cm et un diamètre de 80 cm à 1 m (Voir photo 161, p. 176). L'inflorescence, une panicule ramifiée, atteint 1 m de hauteur et l'espèce botanique porte de minuscules fleurs roses. Trois cultivars sont connus : '**Alba**', aux fleurs blanches ou blanc crème; '**Rubra**', aux fleurs rouge foncé; '**Superba**', aux fleurs rose vif et aux nouvelles feuilles d'une teinte violacée (distance de plantation : de 80 cm à 1,10 m).

Originaire de Corée ou du Japon, le **Rodgersia podophylla** possède de grosses feuilles d'environ 50 cm de diamètre, palmées, aux cinq folioles d'un vert bronzé luisant à la feuillaison, devenant vert foncé au cours de l'été. Le feuillage a de 50 à 80 cm de hauteur et s'étale sur plus de 1,20 m de diamètre. L'inflorescence s'élève, en juillet, jusqu'à 2 m et arbore des panicules composées portant une multitude de minuscules fleurs blanc crème. C'est l'espèce dont la floraison est la plus intéressante (distance de plantation : de 90 cm à 1,30 m).

Le *Rodgersia sambucifolia*, originaire de Chine, se démarque des autres espèces par ses feuilles imparipennées, de sept à neuf folioles, oblongues-lancéolées. La hampe florale se dresse sur 1 m de hauteur. Les fleurs blanches, groupées en une large panicule, s'épanouissent en juillet. Le cultivar '**Rothaut**' arbore un feuillage rouge bronzé au moment de la feuillaison (distance de plantation : de 80 cm à 1,10 m).

Sanguinaria

La sanguinaire du Canada (*Sanguinaria canadensis*) croît dans le sous-bois des érablières du sud-ouest du Québec (Voir photo 162, p. 176). Elle a une prédilection pour les emplacements légèrement ombragés à ombragés. Cette plante possède un rhizome d'où sort une feuille unique. Son limbe épais et arrondi, découpé en lobes au contour sinueux, mesure de 15 à 20 cm de diamètre. Tôt au printemps, dès la fonte de la neige, la fleur apparaît, enroulée autour de la feuille. Sa rusticité est bonne (zone 3) dans le sud-ouest du Québec. Son rhizome s'étend rapidement dans une terre riche en humus et meuble. Plusieurs sanguinaires regroupées forment une jolie touffe. Cette plante tolère mal une terre sablonneuse ou trop sèche. Elle se multiplie facilement par division du rhizome et par semis. Les rhizomes seront déterrés à la mi-été, au moment où la feuille jaunit. On sectionne des portions porteuses d'un bourgeon de future feuille. Le suc de la plante est légèrement corrosif, il est préférable soit de porter des gants, soit de se laver les mains après avoir manipulé les rhizomes. On récolte les graines à la maturation des fruits. Comme ces graines sont recouvertes d'une substance collante qui attire les fourmis, il faut les nettoyer avant de les remiser. Elle demande une période de stratification au froid de deux à trois mois à 3°C. Au printemps, on les sème dans un récipient ou en pleine terre (distance de plantation : 20 cm).

Saxifraga

Le désespoir-du-peintre (*Saxifraga umbrosa*) est une petite vivace rustique (zone 3b) aux feuilles spatulées, coriaces, d'un ton vert pâle à vert jaunâtre quelquefois tacheté de jaune. Le feuillage forme une rosette rigide (Voir photo 163, p. 177). Après avoir été installée, cette plante forme un tapis étendu et dense non dénué d'intérêt. Les petites fleurs étoilées d'un blanc rosé s'élèvent sur une hampe florale ramifiée de 15 à 30 cm de hauteur. Cette saxifrage croît aussi bien sur un emplacement ensoleillé que partiellement ombragé (distance de plantation : de 15 à 25 cm). Assez semblable, le ***Saxifraga x urbium***, issu d'un croisement entre *S. spathularis* et *S. umbrosa*, joue également un rôle fort utile dans les rocailles situées en milieu mi-ombragé.

Scopolia

Originaire de l'Europe centrale, le ***Scopolia carniolica*** est une espèce dont la limite de rusticité (zone 5) atteint le sud-ouest du Québec. Pour survivre, elle devra bénéficier d'une certaine protection hivernale sous forme d'une bonne accumulation de neige sur les plants (Voir photo 164, p. 177). Les feuilles de cette espèce à floraison printanière sont obovales à ovales nettement veinées. La plante a de 20 à 40 cm de hauteur et un diamètre semblable (distance de plantation : 50 cm). Les fleurs en forme de clochettes, brun violacé ou marron orangé, plus rarement jaune verdâtre, pendent au bout de leur pétiole à la hauteur du feuillage. Ce dernier a tendance à disparaître au cours de l'été. On trouve encore difficilement ce plant en pépinière.

Silene

Le genre *Silene* demeure sous-utilisé en horticulture ornementale. Quelques espèces croissent et fleurissent bien en milieu légèrement ombragé à mi-ombragé, tels les *Silene asterias* et *S. dioica*.

Le ***Silene asterias*** est une vivace étonnante, rustique (zone 4a), qui pousse sur un sol tourbeux, légèrement humide, et sur emplacement ensoleillé. Sa croissance et sa floraison ne semblent pas souffrir d'être en milieu légèrement ombragé. La plante, d'environ 80 cm à 1 m de hauteur, porte en juin, au sommet des tiges feuillées, une cyme arrondie de petites fleurs rouges. Elle exige un sol fertile, meuble et toujours frais. La présence invasive du feutre racinaire provenant des grands arbres ou des arbustes est préjudiciable à sa croissance. Le silène est à essayer si l'on peut se procurer des graines, car les plants sont difficiles à obtenir dans les pépinières (distance de plantation : de 35 à 45 cm).

Le *Silene dioica*, également connu sous le nom scientifique de *Melandrium dioicum*, devrait faire l'objet d'un essai dans une plate-bande partiellement ombragée (Voir photo 165, p. 177). Sa rusticité reste à définir avec exactitude, mais elle résiste bien à nos hivers dans le jardin du sous-bois du Jardin botanique de Montréal (zone 5). Cette espèce d'environ 50 à 90 cm de hauteur porte de jolies fleurs étoilées roses au sommet des tiges feuillées. La floraison débute en juin et se renouvelle jusqu'aux premiers jours de juillet. On recense également une variété de silène à fleurs blanches et un cultivar, '**Flore-Pleno**', aux fleurs doubles. Cette dernière est encore rare chez les pépiniéristes (distance de plantation : de 35 à 45 cm).

Silphium

Le genre *Silphium* est peu connu des amateurs, sans doute parce qu'il est encore insuffisamment utilisé dans la mise en valeur des emplacements mi-ombragés. L'espèce *Silphium perfoliatum*, origi-naire de l'Amérique du Nord, peut à cet égard se révéler un auxiliaire précieux (Voir photo 166, p. 177). Cette plante a de longues tiges feuil-lées d'environ 80 cm à 1,80 m de hauteur, aux feuilles opposées, sim-ples, triangulaires à ovales, connées-perfoliées. Les capitules à ligules jaunes s'ouvrent au sommet des tiges à la mi-août. Sa rusticité est excellente (zone 3) dans le sud-ouest du Québec. Cette plante réclame un sol meuble, profond et riche en matière organique (distance de plantation : 1 m).

Smilacina

La smilacine à grappes (**Smilacina racemosa**) est une plante indigène du Québec que l'on trouve dans les érablières (Voir photo 167, p. 178). Son aire de distribution ne dépasse guère celle de la forêt mixte. Cette smilacine rustique (zone 3a) possède un gros rhizome horizontal d'où s'élève une tige arquée d'environ 30 à 70 cm de hauteur, portant des feuilles alternes. L'inflorescence, une panicule de minuscules fleurs blanches, se développe au printemps au sommet de la tige feuillée. Elle croît en milieu mi-ombragé sur un sol humifère et profond (distance de plantation : de 35 à 40 cm). À l'instar de nombreuses plantes rhizomateuses, la smilacine à grappes peut être multipliée soit par division du rhizome, soit par semis. La division du rhizome s'effectue pendant la période de dormance de la plante, c'est-à-dire à la fin de l'été ou tôt au printemps. Les segments du rhizome doivent porter au moins un bourgeon de feuilles. Les plants divisés peuvent fleurir au cours de la seconde année d'installation.

Les graines seront récoltées dès maturation des fruits; il ne faut pas que l'enveloppe se dessèche, sinon la germination risque d'avorter. On facilitera celle-ci en conservant les semences dans de la mousse de sphaigne légèrement humide, stratifiées au froid (3 à 4°C) pendant trois mois dans l'obscurité. Lorsque vient le moment de la plantation, il faut recouvrir les semences d'une fine couche de feuilles. Si on la reproduit par semis, la plante ne fleurira qu'après quatre ou cinq ans.

Streptopus

Le streptope rose (**Streptopus roseus**) est une plante indigène du Québec dont nous recommandons l'introduction dans une plate-bande mi-ombragée à ombragée (Voir photo 168, p. 178). Cette vivace rustique (zone 3) croît dans les sous-bois des érablières et de la forêt mixte. De son rhizome court s'élève une tige feuillée d'environ 20 à 50 cm de hauteur. Les feuilles elliptiques, aux veines très apparentes, sont disposées alternativement sur la tige. Les petites fleurs roses en forme de clochette se développent dès la mi-mai à l'aisselle des feuilles. Une seule fleur pend sous chaque feuille.

Le streptope rose n'a d'intérêt ornemental que si on le plante par groupes de plusieurs spécimens. Il réclame un sol meuble, riche en matière organique et frais. Comme de nombreuses espèces à floraison printanière, le feuillage de cette plante se dessèche durant l'été (distance de plantation : 15 cm). Une autre espèce indigène, le streptope amplexicaule (**Streptopus amplexifolius**), peut avantageusement remplacer le streptope rose. Presque semblable, quoique un peu plus haut, le streptope amplexicaule s'en distingue à peine par ses feuilles plus ou moins embrassantes et ses fleurs blanc verdâtre. Ces deux espèces ne se trouvent que dans les pépinières spécialisées dans la vente d'espèces indigènes.

Stylophorum

Taxonomiquement assez proche des genres *Chelidonum* et *Hylomecon*, le genre *Stylophorum*, originaire de l'est des États-Unis, pourrait être plus largement distribué. Une seule espèce mérite notre attention, le **Stylophorum diphyllum** (Voir photo 169, p. 178). Celui-ci arbore un feuillage très découpé de 40 à 50 cm de hauteur et de 50 à 60 cm de diamètre. Les fleurs, aux pétales jaune vif, généralement solitaires ou alors groupées par deux ou par quatre, s'épanouissent au sommet du feuillage; la floraison débute à la mi-mai et se renouvelle jusqu'à la mi-juin. Cette espèce rustique (zone 3b) est malheureusement difficile à trouver en pépinière (distance de plantation : de 50 à 70 cm).

Symphyandra

Le *Symphyandra hofmannii* est une plante vivace qui ressemble à une grande campanule. Originaire des Balkans, cette espèce atteint dans le sud-ouest du Québec sa limite septentrionale de rusticité (zone 5b). Une protection hivernale, constituée d'un épais paillis et d'une bonne couche de neige sur les plants, est nécessaire à sa survie (Voir photo 170, p. 178). Le **S. hofmannii** a des tiges érigées, feuillées et pubescentes, de 40 à 60 cm de hauteur. Le feuillage s'étale sur 30 à 40 cm. Les fleurs blanches en clochette sont réunies en une panicule lâche au sommet des tiges feuillées. L'inflorescence se développe au début de juillet ou à la mi-juillet. On considère cette espèce comme une vivace éphémère qui doit être réintroduite régulièrement. Bien qu'elle préfère un emplacement légèrement ombragé, cette plante croît bien en milieu mi-ombragé sur un sol meuble, riche en matière organique et toujours frais (distance de plantation : de 60 à 80 cm). Comme elle est rarement offerte en pépinière, il faut en commander les semences chez les grainetiers spécialisés.

Tellima

Le genre *Tellima* ne comporte qu'une seule espèce, le **T. grandiflora**, apparenté aux genres *Mitella* et *Tiarella* (Voir photo 171, p. 178). Originaire des montagnes Rocheuses de l'Amérique du Nord, cette jolie plante herbacée porte des feuilles basilaires à peine lobées, réunies en rosette. De la rosette de feuilles s'élève, à la fin de mai ou au début de juin, une hampe florale de 20 à 40 cm de hauteur ornée de petites fleurs blanches ou blanc verdâtre, aux pétales finement ciselés. Comme cette vivace atteint dans le sud-ouest du Québec sa limite septentrionale de rusticité (zone 5b), elle nécessite une protection hivernale. La tellime à grandes fleurs exige un sol riche en matière organique, meuble, profond et frais; un emplacement mi-ombragé ou ombragé lui convient parfaitement. Elle tolère assez bien la présence du feutre racinaire des grands arbres (distance de plantation : de 20 à 25 cm).

Thalictrum

Le genre *Thalictrum* renferme plusieurs espèces qui s'adaptent bien à un milieu mi-ombragé : les espèces les plus intéressantes sont les *Thalictrum aquilegifolium, T. dasycarpum, T. delavayi, T. dioicum, T. dipterocarpum, T. minus* et *T. rochebrunianum* 'Lavender Mist'.

Originaire de l'Europe et de la Sibérie, le **Thalictrum aquilegifolium** est une espèce rustique (zone 4) qui peut atteindre 1 m de hauteur et même plus. Son feuillage très découpé ressemble fort à celui des ancolies. Les fleurs, dépourvues de corolle, sont formées d'une multitude d'étamines d'une couleur qui varie du blanc au rose foncé selon les cultivars. Ces étamines sont regroupées en larges corymbes sur des hampes florales ramifiées qui se dressent au-dessus du feuillage. Cette vivace demande un sol meuble profond, riche en matière organique et un milieu ensoleillé ou mi-ombragé. On en recense plusieurs cultivars : 'Album', à étamines blanches; 'Atropurpureum', à tiges feuillées et à étamines de couleur rouge violacé; 'Roseum', à étamines rose lilas; 'Thundercloud', à étamines rouge pourpre; 'Purple Cloud', à étamines rouge pourpre (distance de plantation : de 50 à 70 cm).

Le *Thalictrum dasycarpum* est une espèce indigène du centre de l'Amérique du Nord. Rustique (zone 3), il atteint plus de 1,50 m de hauteur. Son feuillage, à l'instar des autres espèces, est profondément découpé et l'inflorescence, une panicule de corymbes, s'élève au-dessus du feuillage. Cette vivace, difficile à obtenir en pépinière, croît en pleine nature dans les sous-bois humides. Il lui faut un sol meuble, humifère, toujours frais et un emplacement légèrement ombragé à mi-ombragé.

Les *Thalictrum delavayi* et *T. dipterocarpum* sont deux espèces si proches morphologiquement qu'on les confond très souvent entre elles. La plupart des pépiniéristes vendent l'une ou l'autre de ces espèces sans pouvoir les différencier avec certitude. Elles ont toutes deux un feuillage très délicat qui ressemble beaucoup à certaines fougères du genre *Adiantum*. Ces plantes fleurissent entre la fin de juillet et le début de septembre. Les hampes florales ramifiées ont de 1 m à 1,80 m de hauteur. Le *Thalictrum delavayi* 'Hewitt's Double' arbore de grandes panicules très lâches de fleurs à étamines rose moyen entourées de sépales colorés qui sont portées sur des tiges de 1 m à 1,40 m de hauteur (Voir photo 172, p. 179). Il existe quelques cultivars de *T. dipterocarpum* : 'Album', à fleurs blanches; 'Mangificum', aux longues panicules de fleurs roses; 'Minus', un plant compact à étamines blanches (distance de plantation : de 50 à 70 cm).

Une autre espèce, le *Thalictrum diffusiflorum* est assez difficile à obtenir dans les pépinières. Originaire de Chine, cette plante rustique (zone 5) croît dans les sous-bois au sol riche en matière organique et frais. Son feuillage ressemble à celui des autres espèces. La hampe florale mesure, en juillet, de 1 m à 1,80 m de hauteur; elle porte de petites fleurs roses réunies en une panicule très lâche (distance de plantation : de 60 à 80 cm).

Le pigamon dioïque (*Thalictrum dioicum*) est une plante indigène du sud-ouest du Québec qui pousse dans les érablières riches et rocheuses (Voir photo 173, p. 179). Rustique (zone 4b), cette espèce de taille moyenne, à la floraison printanière, arbore un joli feuillage découpé en multiples segments arrondis. Les petites fleurs pendantes sont réunies en panicules lâches au sommet de tiges feuillées de 30 à 60 cm de hauteur. Son feuillage disparaît au cours de l'été. Elle demande une terre meuble, plutôt fertile et un emplacement mi-ombragé (distance de plantation : de 40 à 60 cm).

Le *Thalictrum kiusianum* est une espèce de petite taille d'environ 10 à 15 cm de hauteur, au feuillage très divisé. Les fleurs de couleur lilas à pourpre, réunies en corymbes lâches par-dessus le feuillage, s'épanouissent vers la fin de juillet. Ce pigamon atteint sa limite septentrionale de rusticité (zone 5b) dans le sud du Québec. Il croît en milieu mi-ombragé à ombragé sur un substrat meuble, riche en matière organique. Il est difficile à obtenir dans les pépinières (distance de plantation : de 15 à 20 cm).

Le *Thalictrum minus*, qu'il ne faut pas confondre avec le *T. diptero-carpum* '**Minus**', est une espèce dont la limite septentrionale de rusticité (zone 5b) s'arrête au sud-ouest du Québec; elle nécessite donc une protection hivernale sous la forme d'un épais paillis de feuilles. Les fleurs, aux étamines brun jaunâtre, sont groupées en panicules lâches au sommet du feuillage sur une hampe florale ramifiée de 40 à 1,20 m de hauteur. Ce n'est certes pas le pigamon le plus décoratif et, de plus, il est difficile à obtenir en pépinière (distance de plantation : de 40 à 50 cm).

Encore difficile à obtenir, le *Thalictrum rochebrunianum* '**Lavender**

Mist' est un pigamon qui est rustique (zone 5a) dans le sud-ouest du Québec (Voir photo 174, p. 179). L'inflorescence, une panicule très lâche de petites fleurs d'un pourpre violacé, se développe au sommet d'une hampe florale ramifiée d'environ 2 m à 2,25 m de hauteur (distance de plantation : de 50 à 70 cm). La floraison débute vers la mi-août et se renouvelle jusqu'à la mi-septembre ou la fin de septembre. C'est l'une des très belles espèces sur le marché dont l'acquisition est recommandée pour une plate-bande.

Tiarella

La tiarelle cordifoliée (*Tiarella cordifolia*) est une jolie vivace indigène qui croît dans l'est de l'Amérique du Nord (Voir photo 175, p. 179). Cette plante rustique (zone 3a) est vivement recommandée pour une plate-bande en milieu mi-ombragé à ombragé. Les feuilles cordiformes, à peine lobées, dentées, ont une superbe coloration vert pâle au printemps. À la mi-mai ou à la fin de mai, des épis de petites fleurs blanches s'élèvent de 10 à 15 cm au-dessus du feuillage. De culture facile, cette tiarelle préfère un sol meuble, frais, riche en matière organique et à pH acide. Une fois installée, si les conditions de culture sont favorables, elle forme rapidement une belle touffe très décorative. On peut l'utiliser comme plante couvre-sol sous des arbustes où elle sera du plus bel effet au cours de la floraison. Le cultivar **'Oak Leaf Form'**, malheureusement difficile à obtenir dans les pépinières du Québec, porte des feuilles dont le dessin général du limbe rappelle ceux des chênes. D'autres cultivars sont également recensés : **'Dark Eyes'** arbore une tache foncée au cœur du limbe et autour des nervures; **'Dark Star'** a des limbes découpés en forme d'étoile au centre très foncé; **'Freckles'** porte des feuilles tachetées de mauve et à fleurs rose pourpre; **'Pink Bouquet'** présente une inflorescence dont les boutons floraux roses s'épanouissent en fleurs blanches (distance de plantation : de 15 à 25 cm).

La multiplication se fait sans difficulté par division des touffes. Celle-ci s'effectue au début de l'automne ou très tôt au printemps. On déterre le plant à diviser, puis on repère les couronnes de croissance que l'on sépare ensuite. Un plant mature donne environ quatre nouveaux plants.

Une autre espèce, la *Tiarella wherryi*, est quelquefois offerte dans les pépinières; elle se distingue de la *T. cordifolia* par des lobes de limbe plus aigus et une marque brune au centre de la feuille. La rusticité de cette espèce (zone 4a), inférieure à notre tiarelle indigène, demeure bonne pour le sud-ouest du Québec.

Tolmiae

Originaire de la côte ouest des États-Unis et de la Colombie-Britannique, le *Tolmiae menziesii* est plus connu sous notre latitude comme plante d'appartement que comme plante vivace d'extérieur (Voir photo 176, p. 179). Cette espèce, dont la rusticité (zone 5b) atteint sa limite septentrionale dans le sud-ouest du Québec, exige une excellente couverte de neige pour survivre à l'hiver que nous connaissons. Le feuillage du *Tolmiae* ressemble à celui des tiarelles, à la différence que du centre du limbe se dresse une nouvelle touffe de feuilles. Cette particularité la rend facile à reproduire végétativement. Il suffit de prélever une jeune feuille avec une partie de son pétiole et de la planter dans un sol meuble et frais. Une fois installée en milieu mi-ombragé à ombragé, cette vivace forme un joli couvre-sol d'environ 10 à 20 cm de hauteur. Comme sa rusticité demeure incertaine sous notre latitude, on conseille de la reproduire végétativement dès le début d'août et de la cultiver ensuite comme plante d'intérieur durant la saison froide. Le cas échéant, on peut la multiplier en mars ou en avril pour la réinstaller dans les plates-bandes (distance de plantation : de 20 à 35 cm). Il existe un superbe cultivar au feuillage panaché de blanc que j'ai eu la chance de cultiver en serre pendant plusieurs années. Malheureusement, après l'avoir perdu, je ne suis pas parvenu à en trouver d'autre sur le marché. Depuis peu, il est possible de se procurer le cultivar 'Taff's Gold' à feuillage panaché de jaune.

Tovara

Le *Tovara virginiana* '**Painter's Palette**', également connu, ou vendu, sous le nom scientifique de *Polygonum virginianum*, est une renouée de qualité exceptionnelle et seule sa rareté relative sur le marché en freine l'expansion (Voir photo 177, p. 180). Cette espèce vivace, rustique (zone 5), forme une touffe assez dense, d'environ 30 à 50 cm de hauteur et de plus de 50 cm de diamètre, au feuillage très décoratif. Celui-ci arbore des limbes de couleur vert clair bigarré de jaune et de crème. Le centre du limbe est en outre décoré d'un v rougeâtre. De petits épis de fleurs rouges émergent du feuillage vers la fin d'août; la floraison assez quelconque ajoute peu de chose à l'effet très décoratif du feuillage. Cette renouée n'est pas vraiment envahissante. Elle réclame un sol meuble, bien drainé et un emplacement mi-ombragé. Elle tolère difficilement les sols sablonneux et un milieu pleinement ensoleillé (distance de plantation : de 70 à 80 cm).

Tradescantia

L'éphémère de Virginie (***Tradescantia x andersoniana***) est une vivace précieuse trop rarement utilisée dans l'aménagement de massifs ou d'associations en milieu mi-ombragé (Voir photo 178, p. 180). Elle tolère également un emplacement ensoleillé à condition que le sol soit meuble, riche en matière organique et toujours frais. Sa croissance est toujours ralentie sur des sols argileux ou sablonneux à drainage excessif ou imparfait. La compétition avec le feutre racinaire des grands arbres ou arbustes immédiatement voisins d'elle freine également son développement. Rustique (zone 5a et probablement 4b), cette jolie vivace, à la souche vigoureuse et légèrement envahissante, forme une touffe dense de tiges feuillées d'environ 30 à 50 cm de hauteur et de 35 à 50 cm de diamètre. Les feuilles sont étroites et effilées. Les fleurs à trois pétales bleus pour l'espèce botanique, mais de coloris variés suivant les cultivars, sont groupées en glomérules au sommet des tiges feuillées. Plusieurs cultivars sont offerts dans les pépinières : '**Blue Stone**', aux fleurs lavande; '**Innocence**', aux fleurs à pétales d'un blanc pur; '**Iris Pritchard**', aux fleurs blanches teintées de violet; 'Isis', à grandes fleurs bleues; 'James Stratton', aux fleurs bleu foncé; 'J.C. Weguelin', à larges fleurs bleu de Chine; 'Leonora', aux fleurs bleu violacé; 'Osprey', aux fleurs blanches à cœur bleu violacé; 'Pauline', aux fleurs vieux rose tirant sur le violet; 'Purewell Giant', aux fleurs rouge pourpre; 'Red Cloud', aux fleurs rose magenta; 'Rubra', aux fleurs d'un rouge carmin; 'Snow Cap', aux fleurs d'un blanc pur; 'Zwanenburg Blue', aux fleurs bleu royal (distance de plantation : de 35 à 50 cm).

Tricyrtis

Le genre *Tricyrtis*, de la famille des liliacées, est encore trop peu connu d'un grand nombre d'amateurs de plantes vivaces. Il s'y trouve des espèces rustiques (zone 5a) à floraison estivale (*Tricyrtis formosana*, *T. latifolia* et *T. puburela*) et une espèce à floraison automnale, le *Tricyrtis hirta*. Toutes sont d'origine asiatique et portent des fleurs qui ressemblent plus à de petites orchidées qu'à des fleurs de lis. On les surnomme « lis crapauds » par analogie avec leurs fleurs parsemées de points violacés qui rappellent la peau verruqueuse de ces amphibiens.

Vendu dans les bonnes pépinières, le *Tricyrtis hirta* est une espèce aux tiges feuillées d'environ 50 à 90 cm de hauteur. Les fleurs blanches, parsemées de points pourpres, s'épanouissent à la fin d'août ou au début de septembre au sommet du feuillage. La lignée 'Miyazaki' a un port plutôt étalé, très élégant, et des tiges non ramifiées (Voir photo 179, p. 180). Dans mon jardin, le *Tricyrtis hirta* 'Lilac Tower', un cultivar au port bien érigé, fleurit de la fin d'août jusqu'à la mi-octobre. Deux autres cultivars sont à mentionner : *T. hirta* 'Alba', à fleurs blanches et 'Variegata' au feuillage panaché de blanc, mais ils sont encore introuvables au Québec. Bien que rustique dans le sud-ouest du Québec (zone 5), cette vivace requiert une protection hivernale (distance de plantation : de 40 à 45 cm).

Le *Tricyrtis latifolia*, également connu sous le nom scientifique de *T. bakeri*, est une espèce à floraison estivale. Les fleurs jaune verdâtre généreusement ponctuées de pourpre s'épanouissent dès le milieu de juin dans le sud-ouest du Québec. Son feuillage mesure de 50 à 90 cm de hauteur et s'étale sur 30 cm. Une autre espèce, le *Tricyrtis puberula*, ressemble beaucoup à la précédente; il s'en distingue par ses feuilles fortement pubescentes (distance de plantation : 40 cm).

Trillium

Le genre *Trillium* renferme une trentaine d'espèces qui se caractérisent par leur tige unique portant un verticille de trois feuilles. Au sommet des feuilles s'épanouit une fleur solitaire à trois sépales et trois pétales. Trois des quatre espèces indigènes sont recommandées pour les plates-bandes : le trille blanc (*Trillium grandiflorum*) (Voir photo 180, p. 180), le trille rouge (*T. erectum*) et le trille ondulé (*T. undulatum*). Ces plantes rustiques (zone 3) de sous-bois croissent dans les érablières ou certaines forêts mixtes du sud-ouest du Québec. Les trilles possèdent un petit rhizome gonflé enfoui dans le sol et d'où émerge la tige feuillée. Ils croissent dans un sol profond, riche en matière organique, et sur un emplacement mi-ombragé à ombragé (distance de plantation : 20 cm). Les amateurs apprécient grandement les fleurs bien doubles du *T. grandiflorum* f. *flore pleno*.

Les trilles se multiplient assez facilement par les semences. Les graines sont récoltées aussitôt que les fruits mûrs acquièrent une coloration rouge. Il faut séparer les graines de la pulpe des fruits, nommée élaïosome. Les graines doivent subir une période de stratification au froid. On peut conserver les graines au réfrigérateur, à la température de 3°C pendant 8 à 10 semaines, ou les semer à l'extérieur au début de l'automne. Entre les semis et la floraison des jeunes plantes, il faut compter de cinq à sept ans. Par souci de notre environnement, on se gardera de récolter les trilles croissant dans leur milieu naturel.

Originaire du centre des États-Unis, le trille sessile (*Trillium sessile*) est une autre espèce ornementale quelquefois offerte dans les bonnes pépinières. Les pétales étroits et dressés, de couleur rouge sang, sont insérés directement au centre du verticille des feuilles. Ce trille a de 15 à 25 cm de hauteur. Il existe également une variété à fleurs jaunes, le *T. sessile* var. *luteum* (distance de plantation : 20 cm).

Triosteum

Originaire de Chine et méconnu de la plupart des amateurs, le *Triosteum pinnatifidum* n'est cependant pas des plus spectaculaires, sinon que son feuillage profondément lobé a une texture singulière qui contraste bien avec celui des vivaces (Voir photo 181, p. 181). C'est une plante herbacée qui se rattache à l'un des rares genres non ligneux de la famille des chèvrefeuilles (caprifoliacées). Cette vivace rustique (zone 4) d'environ 40 à 60 cm de hauteur et d'étalement équivalent exige un sol profond, fertile et frais en milieu ensoleillé ou mi-ombragé. Les petites fleurs réunies en épis au-dessus du feuillage sont assez quelconques. Cette plante étrange est encore introuvable dans les pépinières du Québec (distance de plantation : de 60 à 70 cm).

Trollius

Profitant de l'absence de feuilles dans la ramure des ligneux, au printemps, les trolles hybrides (*Trollius x cultorum*) ainsi que les *Trollius chinensis* et *T. europaeus* croissent rapidement même sous la frondaison des grands arbres (Voir photo 182, p. 181). Les hybrides, offerts régulièrement dans les pépinières, sont issus de croisements entre les différentes espèces. De la touffe de feuilles très découpées se dresse sur 35 à 80 cm de hauteur une hampe florale plus ou moins ramifiée au sommet. Les fleurs plus ou moins doubles s'ouvrent en une coupe globuleuse et la couleur de la corolle varie de jaune pâle à orange vif. Les fleurs s'épanouissent, selon les espèces ou les cultivars, de la fin de mai au début de juillet. Ces vivaces nécessitent un sol meuble, humifère et de préférence toujours frais. Plusieurs cultivars sont offerts : 'Alabaster', à la floraison hâtive, aux fleurs jaune pâle; 'Byrne's Giant', aux larges fleurs d'un jaune vif; 'Commander in Chief', aux fleurs orange foncé; 'Earliest of All', à la floraison hâtive, aux fleurs jaune orangé; 'Etna', un cultivar vigoureux à fleurs orange; 'Fire Globe', aux fleurs orange; 'Glory of Leiden', aux fleurs jaune doré; 'Golden Monarch', aux fleurs jaune pâle; 'Lemon Queen', aux fleurs jaune citron; 'Orange Princess', à fleurs orange foncé, un culti-var intéressant pour la confection de bouquets; 'Pritchard's Giant', plant vigoureux de 80 cm de hauteur, aux fleurs jaune orangé (distance de plantation : de 35 à 40 cm).

Uniola

L'*Uniola latifolia* est également connue sous le nom scientifique de *Chasmantium latifolium* (Voir photo 183, p. 181). Cette graminée ornementale arbore une touffe étalée de feuilles rubanées, érigées, d'un vert jaunâtre. Le feuillage de 50 à 60 cm de hauteur s'étale dans les mêmes proportions. Il lui faut un sol meuble, riche en matière organique, frais et situé en milieu mi-ombragé. Elle supporte assez bien un emplacement ensoleillé sous réserve que la terre demeure toujours fraîche (distance de plantation : de 30 à 40 cm).

Uvularia

L'uvulaire à grandes fleurs (**Uvularia grandiflora**) est une singulière et jolie plante printanière de sous-bois (Voir photo 184, p. 181). Elle possède une souche rhizomateuse d'où émergent des tiges d'abord dressées puis arquées d'environ 25 à 35 cm de hauteur. Celles-ci portent des feuilles perfoliées, c'est-à-dire enfilées sur la tige. Les fleurs à six tépales jaunes pendent au bout des tiges feuillées. L'ensemble donne l'impression d'une plante qui se fane. La floraison est hâtive, dès le mois de mai. Cette plante rustique (zone 4a), offerte dans quelques bonnes pépinières, exige un sol profond, humifère, et un emplacement mi-ombragé. Sa reproduction s'effectue de préférence par division des touffes très tôt au printemps ou avant le dessèchement des tiges feuillées au début de juillet (distance de plantation : de 30 à 40 cm).

Veratrum

Le vérâtre vert (**Veratrum viride**), dont le surnom est tabac du diable, possède un court rhizome épais d'où monte une tige feuillée d'environ 80 cm à 1,50 m de hauteur (Voir photo 185, p. 181). Les feuilles basilaires sont généralement ovales alors que les feuilles supérieures sont ovales-elliptiques; toutes sont nettement veinées. Plante indigène de l'est de l'Amérique du Nord, rustique (zone 3), ce vérâtre croît en pleine nature dans les bois humides ou en bordure des ruisseaux. À la fin de juin, une panicule de petites fleurs verdâtres s'élève au-dessus de la tige feuillée. Son feuillage particulier permet de l'associer avec bonheur à des vivaces à feuillage plus délicat. Cette plante s'accomode d'un ombrage dense et préfère un sol meuble, humifère et toujours frais. Une terre trop sablonneuse ou à drainage excessif entraîne le desséchement de son feuillage (distance de plantation : de 60 à 70 cm). Toutes les parties de cette plante sont toxiques si on les ingère.

Vernonia

Encore inconnu et difficile à obtenir dans les pépinières du Québec, le **Vernonia crinita** est une plante indigène du centre des États-Unis. Vigoureuse et décorative, elle ferait bel effet dans une plate-bande en milieu légèrement ombragé. Cette espèce rustique (zone 4b) déploie de longues tiges feuillées et dressées qui peuvent atteindre, sur un sol fertile, meuble et frais, de 1,25 m à 2 m de hauteur et de 60 à 90 cm de diamètre (distance de plantation : 80 cm). Au sommet des tiges feuillées s'épanouissent de petits capitules de ton rose pourpré, d'environ 2,5 cm de diamètre. En massif de trois ou cinq spécimens, cette astéracée donne de la couleur à une plate-bande. La floraison débute à la mi-août et se renouvelle jusqu'à la fin de septembre. Cette vivace tolère les sols lourds à condition qu'ils demeurent frais.

Une autre espèce voisine, le **Vernonia noveboracensis** (Voir photo 186, p. 182), convient également à un emplacement légèrement ombragé. Rustique (zone 4a), ses tiges érigées de 80 cm à 1,60 m de hauteur arborent des capitules de couleur pourpre foncé chez l'espèce botanique et de couleur blanche pour la variété *albiflora* (distance de plantation : de 60 à 80 cm).

Vinca

La grande pervenche (**Vinca major**) est en réalité un sous-arbrisseau d'environ 15 à 25 cm de hauteur et de 30 à 50 cm de diamètre. Ses tiges subligneuses, au port franchement étalé, portent des feuilles coriaces d'un vert moyen à vert foncé, ovales et luisantes. Cette espèce plus ou moins rustique (zone 6a) se garnit, au printemps, de jolies petites fleurs bleues. On lui connaît également un cultivar à feuillage panaché, le *Vinca major* '**Variegata**', dont la rusticité est également sujette à caution pour le sud-ouest du Québec (distance de plantation : de 40 à 50 cm).

La petite pervenche (*Vinca minor*) est une espèce analogue à la précédente, mais beaucoup plus rustique (zone 5a et probablement 4b), dont les tiges étalées portent de petites feuilles luisantes elliptiques à lancéolées (Voir photo 187, p. 182). Les petites fleurs bleues naissent au travers du feuillage dès la mi-mai et se renouvellement pendant quelques semaines. Le feuillage s'étend sur 40 à 60 cm et s'élève à peine du sol. Cette pervenche forme un excellent couvre-sol et se contente d'un sol ordinaire, bien drainé, en milieu mi-ombragé. Plusieurs cultivars sont recensés et la plupart sont en vente dans les bonnes pépinières : '**Alba**', aux fleurs blanches; '**Albo-Pleno**', aux fleurs doubles blanches; '**Argenteo-Variegata**', au feuillage panaché de blanc argenté et aux fleurs d'un bleu lilas; '**Atropurpurea**', à fleurs pourpres; '**Aureo-Variegata**', au feuillage bordé de jaune et aux fleurs bleu pâle; '**Bowles Variety**', aux larges fleurs d'un bleu lilas foncé; '**Gertrude Jekyll**', un cultivar très florifère à petites fleurs d'un blanc pur; '**La Grove**', aux larges fleurs lavande (distance de plantation : de 40 à 50 cm).

Viola

Les violettes (*Viola*) sont de petites plantes vivaces à rhizome très court, dont plusieurs espèces forment un tapis assez dense de feuilles cordiformes d'environ 10 à 15 cm de hauteur (Voir photo 188, p. 182). En taxonomie, on distingue les espèces acaules sans tige aérienne, telles les *Viola labradorica*, *V. septentrionalis*, *V. blanda*, *V. rotundifolia* et *V. odorata*, des espèces caulescentes, c'est-à-dire pourvues d'une tige érigée, telles les *Viola pensylvanica*, *V. pubescens* et *V. canadensis*. Ces dernières, quoique fort jolies, sont introuvables en pépinière la plupart du temps. Tout indiquées pour l'aménagement d'un couvre-sol, les petites violettes (zone 3b) ont toujours leur place dans un sous-bois aménagé ou une plate-bande en milieu mi-ombragé à ombragé. Elles nécessitent un sol humifère, meuble et frais. On offre souvent dans les bonnes pépinières la violette du Labrador à feuillage pourpre (*Viola labradorica* '**Purpurea**') et la petite violette odorante (*Viola odorata*), à feuillage vert et aux fleurs bleu lilas. Plusieurs cultivars de cette dernière espèce sont recensés : '**Queen Charlotte**', un plant très florifère, aux fleurs bleues parfumées; '**Red Giant**', aux fleurs rouge foncé; '**Royal Robe**', aux fleurs odorantes d'un bleu violacé très foncé; '**White Czar**', aux grandes fleurs blanches à gorge jaune (distance de plantation : de 15 à 20 cm). Certains pépiniéristes vendent la *Viola sorora* '**Freckles**', un cultivar très décoratif à petites fleurs généreusement mouchetées de points lilas. La plupart des espèces de violettes sauvages se multiplient facilement par semis. Il faut récolter les semences au milieu de l'été pendant la maturation des capsules. Les graines doivent être débarrassées de leur appendice amylacé, l'élaïosome, pour en garantir la germination. Elles doivent passer par une période de stratification au froid de quatre à huit semaines à 3°C. On conseille de les semer à l'automne sur un emplacement bien identifié ou dans des boîtes à semis. Une fois que les plantules sont bien enracinées, elles peuvent être transplantées à l'endroit choisi.

Waldsteinia

Le fraisier doré (*Waldsteinia fragarioides*) doit son surnom à la ressemblance de son feuillage avec celui du fraisier et à ses petites fleurs à cinq pétales de couleur jaune vif. Les feuilles divisées en trois folioles arrondies, dentées, et à pétiole long mesurent de 10 à 15 cm de hauteur. À la fin de juin, les fleurs s'épanouissent au-dessus du feuillage sur une courte hampe florale ramifiée. Cette petite vivace rustique (zone 3b) s'étend assez rapidement grâce à ses stolons et forme un couvre-sol assez dense sous la frondaison des grands arbres. Elle tolère un sol sec bien que sa croissance en soit alors ralentie. Un sol meuble, humifère et légèrement frais, ainsi qu'un emplacement légèrement ombragé à mi-ombragé sont les conditions idéales à la culture du fraisier doré (distance de plantation : 40 cm). Deux autres espèces rustiques (zone 5a) et d'un égal intérêt sont souvent plus faciles à obtenir dans les pépinières : le **Waldsteinia geoides** est une espèce non stolonifère de 20 à 25 cm de hauteur, à touffe de feuilles cordiformes de trois à cinq lobes profondément dentés (Voir photo 189, p. 182), alors que le **W. ternata** est une autre espèce stolonifère d'environ 10 cm de hauteur, aux feuilles découpées en trois folioles, qui s'étend rapidement en terre meuble (distance de plantation : 40 cm).

1
Le milieu mi-ombragé ou ombragé offre un bon potentiel d'aménagement.

2
Avant d'aménager, il est nécessaire de préciser le degré de luminosité du lieu.

3
Une section de la grande plate-bande ombragée du jardin des Quatre-Vents au Cap-à-l'Aigle.

129

4

5

4 – On peut modifier la luminosité d'une plate-bande en élaguant les branches des arbres qui la surplombent.

5 – L'érable de Pennsylvanie (*Acer pensylvanicum*) convient bien à un sous-bois.

6 – Dans l'établissement des plantes vivaces sous la frondaison de grands arbres, la plupart des échecs sont dus à la prolifération du feutre racinaire de la strate ligneuse.

6

8

9

7
La luminosité d'une plate-bande
située sous le couvert des arbres
feuillus fluctue selon les saisons.

8 – Le trille blanc à fleurs doubles
(*Trillium grandiflorum* f. *flore pleno*) est
une vivace rare appréciée des
amateurs.

9 – L'utilisation des bulbes à floraison
printanière est vivement conseillée.

10 – Le jeu des textures des feuillages
importe tout autant que celui des
floraisons.

10

11

12

11 – Un apport régulier d'eau et d'éléments nutritifs assure une bonne croissance des vivaces sises sous la frondaison de grands arbres.

12 – Le travail du sol en profondeur ou un terreautage est exigé avant la plantation des vivaces.

13 – Là où la croissance est ralentie par la compétition du feutre racinaire des grands arbres, l'apport régulier d'un engrais soluble est recommandé.

13

14

15

16

17

18

14 – Par une chaude journée, le milieu mi-ombragé ou ombragé apporte une sensation de bien-être qui invite à la détente.

15 – *Aceriphyllum rossii*

16 – L'*Aconitum x cammarum* 'Bicolor' est un superbe aconit.

17 – L'*Aconitum carmichaelii* fleurit tardivement.

18 – *Aconitum napellus* ssp. *compactum* 'Carneum'

19

19 – Les actées (*Actaea*) poussent dans nos sous-bois.

20 – Les *Adenophora* sont proches des campanules.

20

133

23

21 – L'*Agastache foeniculum* croît sur un emplacement partiellement ombragé.

22 – L'*Ajuga reptans* 'Burgundy Glow' est un cultivar particulièrement intéressant.

23 – L'alchémille (*Alchemilla mollis*).

21

22

24

25

24 – *Allium cernuum*

25 – Une association intéressante entre l'*Allium flavum* et des hostas.

26 – L'*Amsonia tabernaemontana*, une vivace à découvrir.

26

ZONES DE RUSTICITÉ

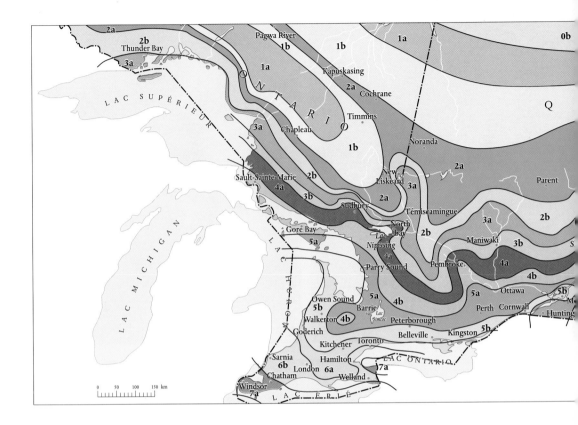

ZONES DE RUSTICITÉ *				ZONES DE RUSTICITÉ *			
Zone	Température minimale			Zone	Température minimale		
	°C		°C		°C		°C
1	au-dessous	de	-45	6b	-21	à	-18
2a	-46	à	-43	7a	-18	à	-15
2b	-43	à	-40	7b	-15	à	-12
3a	-40	à	-37	8a	-12	à	-9
3b	-37	à	-34	8b	-9	à	-7
4a	-34	à	-32	9a	-7	à	-4
4b	-32	à	-29	9b	-3	à	-1
5a	-29	à	-26	10a	-1	à	+2
5b	-26	à	-23	10b	+2	à	+4
6a	-23	à	-21	* United State Department of Agriculture			

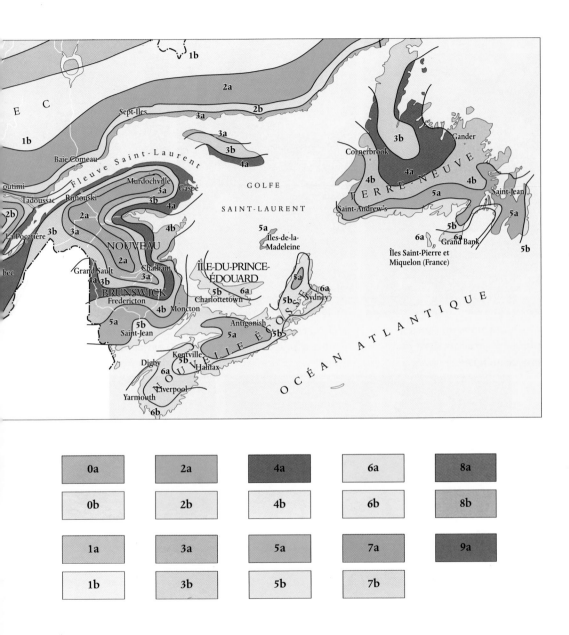

0a	2a	4a	6a	8a
0b	2b	4b	6b	8b
1a	3a	5a	7a	9a
1b	3b	5b	7b	

27 – L'anémone du Canada (*Anemone canadensis*) est une espèce indigène.

28 – L'*Anemone x hybrida* 'Honorine Jobert' fleurit vers la mi-août.

29 – L'anémone des bois (*Anemone sylvestris*) se plaît dans un sous-bois.

30 – *Anemonella thalictroides*

31 – Des *Anemonopsis macrophylla* dans l[e] jardin des Quatre-Vents au Cap-à-l'Aigl[e]

33 34

32 – Notre ancolie indigène (*Aquilegia canadensis*) tolère un emplacement mi-ombragé.

33 – Les ancolies de la lignée Songbird arborent de grandes fleurs.

34 – Offert sous forme de semences, l'*Aquilegia vulgaris* ssp. *vervaeneana* 'Woodside Variegated Mixed' présente un feuillage très décoratif.

35 – L'aralie à grappes (*Aralia racemosa*) est l'une de nos plantes indigènes méconnues.

35

36

37

39

36 – Le petit prêcheur (*Arisaema atrorubens*) demande un sol toujours frais.

37 – La barbe-de-bouc (*Aruncus dioicus*).

38 – Une espèce plus discrète, l'*Aruncus aethusifolius*.

39 – Le gingembre sauvage (*Asarum canadense*) dans son milieu naturel.

40 – L'asaret d'Europe (*Asarum europaeum*).

41 – Une plante remarquable pour son gracieux feuillage, l'*Asperagus tenuifolius*.

42 – Les astilbes sont indispensables à une plate-bande mi-ombragée ou ombragée.

43 – *Astilbe x arendsii* 'Gertrude Brix'

44

45

46

47

48   49   50

44 – *Astilbe thunbergii* 'Prof. Van der Weilen'

45 – Les *Astilbe chinensis* var. *taquetii* arborent de longues panicules effilées.

46 – Un élément vedette d'une plate-bande, l'*Astilboides tabularis*.

47 – *Astrantia major* 'Rosea'

48 – Maintenant offert en pépinière, le *Brunnera macrophylla* 'Variegata'.

49 – Une plante bulbeuse méconnue, le *Camassia cusickii*.

50 – Une espèce intéressante, la campanule à fleurs laiteuses (*Campanula lactiflora*).

51 – *Campanula latifolia* 'Alba'

51

53 – Le *Campanula takesimana* est assez similaire à la campanule ponctuée (*C. punctata*).

52 – Toujours populaire, la campanule à fleurs de pêcher (*Campanula persicifolia*).

54 – La *Cardamine diphylla* est une espèce indigène.

55 – La laîche de Gray (*Carex grayi*).

56 – Le *Carex morrowii* 'Variegata' possède un séduisant feuillage.

57 – *Chelone obliqua*

58 – La chimaphile à ombelles (*Chimaphila umbellata*).

59 – Un couvre-sol agréable, le *Chrysogonum virginianum*.

60 – Une espèce à floraison estivale, le *Cimicifuga racemosa*.

61 – *Cimicifuga acerina*

62 – Le *Cimicifuga ramosa* 'Atropurpurea' arbore un feuillage décoratif.

63 – Un chardon tolérant un ombrage léger, le *Cirsium rivulare*.

64 – La clintonie boréale (*Clintonia borealis*) croît dans les forêts nordiques.

65 – Une vivace à introduire, le cornouiller du Canada (*Cornus canadensis*).

66 – Le muguet (*Convallaria majalis*) forme
rapidement une touffe dense.

67 – *Corydalis flexuosa*
'Blue Panda'

68 – Le *Corydalis lutea* se
ressème facilement.

69 – Une espèce printanière,
le *Corydalis nobilis*.

70 – Le *Cyclamen purpurascens* est rustique dans le sud-ouest du Québec.

71 – L'inflorescence du *Darmera peltata*.

72 – Le *Darmera peltata* arbore un joli feuillage.

73 – *Delphinium tricorne*

74 – Toujours populaire, le cœur saignant (*Dicentra spectabilis* 'Alba').

75 – Un petit dicentre, le *Dicentra formosa* 'Bacchanal'.

76 – Le *Dicentra cucullaria* est une espèce indigène.

77

78

79

77 – Le *Digitalis ferruginea* mérite une introduction dans votre jardin.

78 – Le *Digitalis x mertonensis* arbore de grosses fleurs vieux rose.

79 – La gyroselle (*Dodecatheon meadia*).

80 – Le superbe feuillage de l'*Epimedium x rubrum*.

80

81

81 – *Epimedium x youngianum* 'Niveum'

82 – L'ail doux (*Erythronium americanum*).

83 – *Erythronium revolutum* 'White Beauty'

82

83

84

84 – Le *Fallopia cuspidatum* 'Variegata' présente un feuillage spectaculaire.

85 – Le *Filipendula rubra* 'Venusta' est une vivace de grande valeur.

86 – La reine-des-prés à feuillage doré (*Filipendula ulmaria* 'Aurea').

85

86

87 – L'aspérule odorante (*Asperula odorata*) forme un couvre-sol décoratif.

88 – La gentiane d'Andrews (*Gentiana andrewsii*)

89 – La gentiane à feuilles d'asclépiade (*Gentiana asclepiadea*).

90 – *Geranium x cantabrigiense* 'Biokovo'

91

92

93

94

95

91 – *Geranium clarkei* 'Kashmir White'

92 – Un allié précieux, le *Geranium macrorrhizum* 'Spessart'.

93 – Un cultivar au feuillage ourlé de blanc crème, le *Geranium macrorrhizum* 'Variegatum'.

94 – Le géranium maculé (*Geranium maculatum*).

95 – Le géranium livide (*Geranium phaeum* 'Lily Lovell').

96 – *Geranium wlassovianum*

96

97

98

99

100

97 – Une vivace qui mérite une large diffusion, le *Gillenia trifoliata.*

98 – *Glaucidium palmatum*

99 – Une jolie graminée, l'*Hackenochloa macra* 'Aureola'.

100 – Le lierre commun (*Hedera helix*).

101 – Les ellébores (*Helleborus*) fleurissent tôt au printemps.

101

102

103

104

105

102 – L'hémérocalle à fleurs jaunes (*Hemerocallis flava*) est une espèce qui tolère un milieu mi-ombragé.

103 – L'hépatique à lobes aigus (*Hepatica acutiloba*) est une des premières plantes indigènes à fleurir au print-emps.

104 – L'*Heuchera* 'Brida Veil' est un cultivar à feuillage décoratif.

105 – *Heuchera* 'Palace Purple'

106 – x *Heucherella alba* 'Bridget Bloom'

107 – *Houttuynia cordata* 'Tricolor'

106

107

159

108

109

111

108 – *Hylomecon japonica*

109 – L'*Iris cristata* tolère un emplacement mi-ombragé.

110 – *Jeffersonia dubia*

111 – Le *Kirenghesoma palmata* fleurit en août.

112 – *Lamiastrum galeobdolon* 'Herman's Pride'

113 – Le lamier maculé (*Lamium maculatum* 'Beacon's Silver') forme un tapis dense sur un sol meuble.

114 – Une vivace étonnante, le *Lamium orvala*.

110

112

113

114

115

116

117

125

118

119

120

121 – Le *Lobelia x s[...]* Scarlet' est quelque[...] l'appellation erron[...]

122 – Le *Lobelia x g[...]* emplacement légèr[...] ombragé.

123 – Le *Lunaria rea[...]* rustique.

124 – La luzule blar[...]

125 – La luzule des [...] panachées (*Luzula s[...]* Marginata').

126 – La lysimaque [...] (*Lysimachia clethroi[...]*

115 – *Lathyrus vernus* var. *gracilis* f. *roseus*

116 – Le *Ligularia stenocephala* 'The Rocket' montre de magnifiques épis de fleurs jaunes.

117 – Une espèce moins connue, le *Ligularia japonica*.

118 – Le *Ligularia tangutica* est également connu sous le nom scientifique de *Senecio tanguticus*.

119 – Notre lis indigène (*Lilium canadense*) préfère un emplacement mi-ombragé.

120 – *Liriope muscari*

121

133

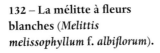

132

134

132 – La mélitte à fleurs blanches (*Melittis melissophyllum* f. *albiflorum*).

133 – La mertensie de Virginie (*Mertensia virginica*).

134 – Le *Millium effusum* 'Aureum' est une jolie graminée.

135 – Le pain-de-perdrix (*Mitchella repens*).

135

137

136

138

136 – La mitrelle à deux feuilles (*Mitella diphylla*).

137 – Le myosotis des bois (*Myosotis sylvatica*) est cultivé comme une plante bisannuelle.

138 – Le cerfeuil musqué (*Myrrhis odorata*).

139

140

141

139 – L'*Oenanthe javanica* 'Flamingo' s'étend rapidement.

140 – L'omphalode printanier (*Omphalodes verna*).

141 – *Paeonia obovata*

142 – La parisette (*Paris quadrifolia*).

143 – *Patrinia gibbosa*

144 – La pétasite du Japon (*Petasites japonicus* 'Variegatus') réclame un sol frais en permanence.

145 – *Phlox divaricata*

146 – *Phyteuma nigrum*

142

144

143

145 146

171

147

148

147 – Le *Podophyllum hexandrum* est une espèce proche du podophylle pelté (*P. peltatum*).

148 – L'échelle-de-Jacob (*Polemonium caeruleum*).

149 – *Polygonatum odoratum* 'Variegatum'

149

**150 – La renouée en tapis
(*Polygonum affine*).**

151
La bistorte (*Polygonum bistorta*
'Superbum') mérite une place
de choix dans le jardin.

152

153

154

152 – La primevère en boule (*Primula denticulata*).

153 – Une primevère exceptionnelle, le *Primula japonica* qui fleurit en juin.

154 – La primevère des jardins (*Primula x polyantha* 'Cowichan Hybrids').

155 – La primevère rose (*Primula rosea*).

156 – *Primula vialii*

157 – La pulmonaire des Carpates (*Pulmonaria rubra*) est digne d'intérêt.

158 – La pulmonaire d'Espagne (*Pulmonaria saccharata* 'Janet Fisk') arbore un feuillage tacheté d'argent.

155

156

157

158

159 – La rhubarbe ornementale (*Rheum palmatum* 'Atropurpureum') devient un élément vedette d'une plate-bande.

160 – Le *Rodgersia aesculifolia* porte un feuillage ressemblant à celui du marronnier d'Inde.

162 – La sanguinaire du Canada (*Sanguinaria canadensis*).

161 – *Rodgersia pinnata*

163 – Le désespoir-du-peintre (*Saxifraga umbrosa*).

165 – *Silene dioica*

164 – *Scopolia carniolica*

166
Silphium perfoliatum

177

167

168

169

178

170

171

172   173   174

167 – La smilacine à grappes (*Smilacina racemosa*).

168 – Le streptope rose (*Streptopus roseus*).

169 – Le *Stylophorum diphyllum* fleurit au printemps.

170 – *Symphyandra hofmannii*

171 – Le *Tellima grandiflora* porte de jolies fleurs.

172 – *Thalictrum delavayi* 'Hewitt's Double'

173 – Une espèce indigène, le *Thalictrum dioicum*.

174 – *Thalictrum rochebrunianum* 'Lavender Mist'

175 – Un incontournable dans une plate-bande, la tiarelle cordifoliée (*Tiarella cordifolia*).

176 – *Tolmiae menziesii*

175

176

179 🌿

177

178

179

177 – *Tovara virginiana* 'Painter's Palette'

178 – Les éphémères de Virginie (*Tradescantia x andersoniana*) sont sous-utilisées.

179 – *Tricyrtis hirta* 'Miyazaki'

180 – Le trille blanc (*Trillium grandiflorum*) prend une coloration rose avant de faner.

180

181

183   184

182

181 – *Triosteum pinnatifidum*

182 – Les trolles (*Trollius*) tolèrent un emplacement légèrement ombragé à mi-ombragé.

183 – *Uniola latifolia*

184 – L'uvulaire à grandes fleurs (*Uvularia grandiflora*).

185 – Le vérâtre vert (*Veratrum viride*).

185

181 🌿

187

186

188

189 – *Vernonia noveboracensis*

187 – La petite pervenche
(*Vinca minor* 'Aureo-
Variegata').

188 – Les violettes (*Viola*)
forment un tapis assez dense
sur un emplacement mi-
ombragé à ombragé.

189 – *Waldsteinia geoides*

189

190

LES HOSTAS

190 – Les hostas sont d'un grand intérêt pour la réalisation de plates-bande en situation mi-ombragée ou ombragée.

191 – On dénombre plus 1 100 cultivars différents dont plusieurs sont offerts en pépinière.

191

192

193

194

192 – *Hosta lancifolia*

193 – *Hosta montana* 'Aureo-Marginata'

194 – *Hosta sieboldiana*

195 – *Hosta undulata* var. *univittata*

196 – *Le Hosta tardiflora* fleurit en août.

197 – *Hosta* 'Carol'

198 – *Hosta* 'Chinese Sunrise'

195

198

196

197

 185

199

203

200

201 204

202

199 – *Hosta sieboldiana* 'Frances Williams'

200 – *Hosta* 'Great Expectations'

201 – *Hosta* 'Hadspen Blue'

202 – *Hosta* 'Halcyon'

203 – *Hosta* 'Janet'

204 – *Hosta* 'Love Pat'

205 – *Hosta* 'On Stage'

205

206 – *Hosta* 'Piedmond Gold'

208 – *Hosta* 'Sun Power'

207 – *Hosta* 'Shade Fanfare'

LES FOUGÈRES

210
La fronde de la fougère-
à-l'autruche (*Matteucia
strupthiopteris*) est
particulièrement décorative.

209
Les fougères se plaisent dans
une plate-bande mi-ombragée
ou ombragée au sol frais.

211

212

213

214

211– La capillaire du Canada (*Adiantum pedatum*).

212 – L'athyrie fougère-femelle (*Athyrium filix-femina* 'Cristatum').

213 – La fougère préférée d'un grand nombre d'amateurs , l'*Athyrium niponicum* 'Pictum'.

214 – *Athyrium otophorum*

215 – La dennstaedtie à lobules ponctués (*Dennstaedtia punctilobula*).

216 – La dryoptéride fougère-mâle (*Dryopteris filix-mas*).

217 – La gymnocarpe fougère-du-chêne (*Gymnocarpium dryopteris*).

218 – L'onoclée sensible (*Onoclea sensibilis*).

215

216

217

218

219
L'osmonde cannelle
(*Osmunda cinnamomea*).

220
La thélyptère fougère-du-hêtre
(*Thelypteris phegopteris*).

LES HOSTAS

Les différentes espèces et les nombreux cultivars du genre *Hosta*, également nommés hémérocalles du Japon ou funkias, sont connus des amateurs de plantes vivaces, mais demeurent encore sous-utilisés en aménagement paysager. Ce sont des plantes d'un grand intérêt pour la réalisation de plates-bandes mixtes, où leur feuillage et, dans certains cas, leurs inflorescences créent une impression d'harmonie. Bien que les *Hosta* soient reconnus comme des végétaux qui nécessitent de l'ombre, quelques espèces et cultivars offerts dans les bonnes pépinières supportent de vivre en milieu partiellement ou pleinement ensoleillé sous réserve qu'ils puissent croître sur un sol meuble, riche en matière organique et frais. Ces plantes rustiques (zone 3a) ont une vie assez longue et sont peu sujettes aux maladies. Seules les limaces sont à craindre pour le feuillage de ces inestimables plantes ornementales et si les chevreuils se délectent de leurs feuilles, ils ne sont tout de même pas légion dans les zones urbaines (Voir photo 190, p. 183).

LA CLASSIFICATION
Originaires des sous-bois des milieux humides et des parois rocheuses des falaises du Japon et de la Corée, les hostas cultivés comptent, selon les différents auteurs, entre 20 et 50 espèces (une certaine confusion règne parmi les spécialistes) et plus de 1 100 cultivars (Voir photo 191, p. 183).

La plupart des amateurs n'attribuent à la classification botanique qu'une importance très secondaire. Ils préfèrent les classer en fonction des dimensions des espèces et des cultivars ainsi que de la forme et du coloris du feuillage. Selon la hauteur moyenne du feuillage des plants matures, on distingue :

- les hostas nains dont la hauteur ne dépasse pas les 15 cm;
- les hostas de petite taille, de 15 à 20 cm de hauteur;
- les hostas de taille moyenne, de 21 à 60 cm; cette catégorie referme presque tous les hostas considérés comme plantes de bordure;
- les hostas de grande taille regroupent les taxons (espèces et cultivars) de 60 cm de hauteur et plus, utilisés pour donner du relief à une plate-bande ou comme massifs d'arrière-plan.

L'*American Hosta Society* propose une autre classification fondée sur la hauteur et la largeur du limbe de la feuille. Ces normes s'appliquent aux spécimens d'exposition. La surface d'une feuille sert d'unité de mesure à l'égard des hostas que l'AHS classe sous six rubriques :

CLASSE I
Géant, le limbe mesure plus de 144 po^2 (plus de 900 cm^2);
CLASSE II
Large, de 80 à 144 po^2 (de 530 à 900 cm^2);
CLASSE III
Moyen, de 25 à 80 po^2 (de 160 à 530 cm^2) :
CLASSE IV
Petit, de 6 à 25 po^2 (de 36 à 160 cm^2);
CLASSE V
Miniature, de 2 à 6 po^2 (de 13 à 36 cm^2);
CLASSE VI
Nain, moins de 2 po^2 (moins de 13 cm^2).

Outre la hauteur, la forme du feuillage varie selon l'espèce et les cultivars; les jeunes spécimens ou les touffes nouvellement divisées peuvent avoir des limbes d'une forme différente de celle des plants matures. On distingue cinq formes :

- la feuille rubanée a un long limbe étroit;
- la feuille lancéolée a un limbe en forme de lance;
- la feuille ovale ou ovée a un limbe elliptique à ovale;
- la feuille cordée ou cordiforme a un limbe en forme de cœur;
- la feuille arrondie a un limbe circulaire ou presque circulaire.

L'examen de la surface du limbe (*leaf topography*) permet de distinguer : le limbe lisse dont la surface à nervures peu profondes paraît presque lisse (*flat*); le limbe gaufré (*rugose*), improprement défini comme rugueux, dont la surface est gaufrée; le limbe gaufré-ourlé (*cupped-rugose*) dont la surface gaufrée à bords relevés semblent former une coupe; le limbe ondulé (*wavy-undulate*) dont la surface a le bord ondulé; le limbe tordu (*contorted*) dont la surface a le bord crispé; le limbe en croûte (*piecrust*) dont la surface a le bord très finement sinueux; le limbe silonné (*furrowed*) dont la surface est marquée de veines profondes.

La coloration du limbe est l'un des critères de sélection retenu par la plupart des amateurs :

- le groupe des hostas à feuillage bleu ou glauque qui accueille tous les taxons dont la couleur du limbe varie du bleu véritable au vert bleuté en passant par le vert grisâtre;
- le groupe des hostas à feuillage vert qui renferme toutes les espèces et tous les cultivars dont la couleur du limbe varie du vert clair au vert foncé;
- le groupe des hostas à feuillage jaune, fort prisé de certains amateurs, qui renferme tous les taxons à feuilles jaune vif ainsi que ceux à limbe jaune verdâtre et vert jaunâtre (chartreuse);

• le groupe des hostas à feuillage panaché peut être divisé en plusieurs sous-groupes selon que la couleur prédominante du limbe est foncée avec une marge contrastante et claire ou que la couleur principale est claire avec une bordure plus foncée.

Il faut savoir que le feuillage coloré des hostas peut varier durant la saison de croissance. Certains cultivars se caractérisent par leur *viridescence* : les feuilles blanches ou jaunes acquièrent une coloration verdâtre. D'autres par leur *lutescence* : à la feuillaison, les limbes sont verts ou vert jaunâtre et vieillissent en tendant vers le jaune ou le blanc jaunâtre. Enfin, des cultivars à feuillage panaché se caractérisent par leur *albescence* : les parties du limbe qui sont initialement jaunes, vert jaunâtre ou vertes deviennent par la suite blanches ou blanc jaunâtre.

Bien qu'ils se signalent d'abord par la beauté de leur feuillage, la floraison ajoute encore à la valeur décorative des hostas. Les fleurs qui varient du blanc pur au violet foncé, en passant par un bleu violacé à lilas, sont portées sur un long racème par-dessus le feuillage. Selon les espèces et les cultivars, les hostas fleurissent entre la fin de juin et la fin de septembre.

LES ESPÈCES BOTANIQUES

Parmi les espèces botaniques cultivées dans les jardins ornementaux et qui ont donné naissance aux cultivars les plus séduisants, citons : *Hosta crispula, H. decorata, H. elata, H. fluctuans, H. fortunei, H. lancifolia* (Voir photo 192, p. 184), *H. montana, H. nakaiana, H. nigrescens, H. plantaginea, H. sieboldiana, H. sieboldii, H. tokudama, H. undulata, H. ventricosa* et *H. venusta*.

Le **Hosta crispula** présente des feuilles oblongues à ovoïdes, au limbe d'un vert très foncé et luisant, irrégulièrement ourlé de blanc, qui mesurent 10 cm de largeur et 20 cm de longueur, et comportent sept à huit paires de nervures. Cette espèce a 40 cm de hauteur et 70 cm d'étalement. En juillet, une hampe florale émerge des feuilles et porte de petites fleurs lavande en clochettes, réunies en racèmes au-dessus du feuillage. Elle croît tout autant en milieu ombragé que partiellement ensoleillé. On la confond souvent avec le cultivar *Hosta* 'Thomas Hogg' ou le *H.* 'Fortunei Albomarginata'. La différence s'observe plus ou moins facilement en comparant les pétioles des feuilles : chez le *H. crispula*, le pétiole est plus étroit et plus profondément cannelé.

Plus petit puisqu'il n'a que 25 à 30 cm de hauteur et 45 cm d'étalement, le *Hosta decorata* porte des feuilles oblongues-ovoïdes, de 6 à 7 cm de largeur et de 10 à 12 cm de longueur, marquées par cinq à six paires de nervures. Le limbe d'un vert profond et luisant est ourlé de blanc argenté. Les fleurs, lilas foncé, sont portées sur des racèmes de 40 cm de hauteur. Un emplacement ombragé ou mi-ombragé est conseillé pour cette espèce connue en Amérique du Nord sous le nom de cultivar 'Thomas Hogg'.

Au dire des spécialistes, le *Hosta elata* n'est pas une espèce botanique véritable, mais un hybride fort ancien probablement issu de croisements entre les *Hosta crispula, H. sieboldiana* et *H. fortunei*. C'est une plante de grande taille, d'environ 75 cm de hauteur et de même étalement; on considère ce hosta soit comme un spécimen d'arrière-plan, soit comme spécimen à mettre en vedette. Les feuilles cordiformes, longuement pétiolées, ont un limbe de 20 cm de largeur et de 30 cm de longueur, marqué de neuf à onze paires de nervures d'un vert foncé et luisant. Les fleurs sont d'un pourpre très pâle. Cette espèce se plaît autant sous une ombre dense qu'en milieu partiellement ensoleillé sous réserve que la terre demeure toujours fraîche.

Le *Hosta fluctuans* est une espèce peu exploitée par les amateurs qui lui préférent le cultivar *H. fluctuans* 'Variegated'. Ce dernier est un plant de 55 à 65 cm de diamètre et de 50 cm de hauteur à feuilles cordées-ovales aux bords ondulés, d'un vert grisâtre irrégulièrement ourlé de jaune crème. Les racèmes portent des fleurs de couleur violet pâle. Très en vogue et facile à obtenir, ce hosta est considéré par de nombreux collectionneurs comme un plant indispensable dans toutes les plates-bandes. Il est connu au Japon sous le nom de *Hosta montana* 'Sagae'.

Pour les spécialistes, le *Hosta fortunei* ne doit pas être considéré comme une espèce botanique véritable, mais comme une forme ou une variété de *H. tokudama*, quoique certains auteurs penchent plutôt pour *H. sieboldiana*. Quelle que soit sa dénomination à venir, cette espèce nommée en l'honneur du chasseur de plantes Robert Fortune fut décrite pour la première fois en 1876 et elle est l'une des plus prisées et des plus cultivées dans les jardins ornementaux. Une multitude de variétés et de cultivars sont désormais en vente dans les bonnes pépinières. L'espèce type porte des feuilles au limbe oblong à cordiforme, d'une magnifique couleur vert profond à glauque. Elles mesurent de 10 à 18 cm de largeur et de 22 à 30 cm de longueur, et elles sont ornées de neuf à dix paires de nervures. Le feuillage a de 35 à 40 cm de hauteur et s'étale sur 60 cm de largeur. Les inflorescences, de 90 cm à 1,20 m de hauteur, portent des fleurs en forme de clochette allongées d'un pourpre pâle. Il lui faut un emplacement légèrement ombragé à ombragé. De nombreuses variétés et plusieurs cultivars sont offerts : var. *albopicta* (syn. '**Fortunei Albopicta**'), au limbe d'un crème jaunâtre marginé d'un vert profond à la bordure ondulée; var. *albopicta* forma *aurea* (syn. '**Fortunei Aurea**'), au limbe d'un jaune lumineux devenant vert pâle en été; var. *albomarginata* (syn. '**Fortunei Albomarginata**'), probablement une forme du *Hosta fortunei* var *obscura*, au limbe d'un vert foncé bordé irrégulièrement de blanc crème; var. *aureomarginata* (syn. '**Fortunei Aureomarginata**'), au limbe d'un vert légèrement bleuté marginé de jaune; var. *hyacinthina* (syn. '**Fortunei Hyacinthina**'), au feuillage d'un vert profond et luisant; '**Francee**', un cultivar au limbe d'un vert foncé marginé d'une étroite bande blanc crème; '**Gloriosa**', cultivar nain, au limbe d'un vert foncé marginé de blanc; '**Gold Haze**' et '**Gold Leaf**', deux cultivars très semblables, aux feuilles d'un beau jaune or dérivant du *Hosta* '**Fortunei Aurea**'.

Le *Hosta lancifolia* n'est probablement pas une espèce botanique véritable, mais plutôt un hybride fort ancien; c'est une plante dont les rhizomes deviennent stolonifères en sol meuble. Ses feuilles lancéolées, de 5 cm de largeur et de 15 cm de longueur, sont marquées de cinq à six paires de nervures d'un vert olive luisant. La plante elle-même a 30 cm de hauteur et 45 cm de diamètre. Les racèmes de fleurs lilas s'élèvent à 60 cm de hauteur. Un cultivar, *H. lancifolia* 'Aurea' possède des limbes plus larges que l'espèce, ornés de quatre à cinq paires de nervures. Ils sont d'une belle couleur jaune qui persiste plus ou moins durant toute la saison de croissance. Cet hosta convient autant aux plates-bandes ombragées que mi-ombragées.

Le *Hosta montana* est l'une des espèces les plus communes qui croissent à l'état sauvage au Japon. Elle manifeste dans son milieu naturel certaines variations morphologiques. C'est une plante de grande taille : 75 cm de hauteur et 1,20 m de diamètre. Ses grandes feuilles cordiformes à cordiforme-ovales, d'un vert très foncé, ont 25 cm de largeur et 50 cm de longueur; elles se caractérisent par leurs 14 à 17 paires de nervures très accentuées. Les fleurs blanches sont portées sur des racèmes qui s'élèvent à 1,25 m de hauteur. Cette espèce croît bien en des milieux aux trois quarts ensoleillé à ombragé. La forme *aureomarginata* (syn. 'Aureomarginata') a un limbe vert foncé, étroitement et irrégulièrement ourlé d'une bordure ondulée d'un jaune doré qui vire au blanc durant la saison de croissance (Voir photo 193, p. 184).

Le *Hosta nakaiana,* originaire de Corée, est taxonomiquement assez proche du *H. venusta*. Ce spécimen de 16 à 23 cm de diamètre et de 12 cm de hauteur porte de petites feuilles étroitement cordiformes d'un vert plutôt mat. Les inflorescences ont de 35 à 45 cm de hauteur et arborent des fleurs d'un lilas très pâle.

Le *Hosta nigrescens* est un plant vigoureux de 70 cm de diamètre et de 65 cm de hauteur, dont les limbes ovales à arrondis sont d'un vert grisâtre plutôt mat. Sur certains emplacements, les plants matures peuvent atteindre plus 1,40 m de hauteur et 1,80 m de diamètre. Cela fait d'eux des spécimens vedettes singulièrement attrayants. Les racèmes arborent des fleurs blanches.

Le *Hosta plantaginea,* originaire de Chine, fut la première espèce cultivée en Europe. Dès la fin du XVIIIᵉ siècle, ce hosta orne les serres des amateurs en Angleterre. Comme ils ignoraient tout de sa rusticité, les propriétaires se gardèrent bien de l'installer en pleine terre, car ils tenaient à conserver intacte cette plante rarissime, et fort chère de surcroît. C'est une espèce qui requiert un emplacement légèrement ombragé. Cette plante robuste atteint 60 cm de hauteur et 1,50 m d'étalement. Le limbe cordiforme des feuilles, d'un vert pâle luisant, mesure de 20 à 25 cm de largeur et de 15 à 25 cm de longueur. Il se garnit de huit à neuf paires de nervures très marquées et largement espacées. À la fin d'août ou à la mi-septembre, des racèmes érigés, portant de grandes fleurs blanches en forme de clochettes allongées, s'élèvent à une hauteur de 70 à 80 cm.

A l'instar du *Hosta montana*, l'espèce *H. sieboldiana* accuse certaines variations de forme et de coloris dans son milieu naturel, le Japon (Voir photo 194, p. 184). L'espèce type est une plante robuste de 75 cm de hauteur et de 1,25 m de diamètre; le feuillage d'un beau vert glauque mat présente un limbe ovoïde à ovoïde-cordiforme, orné de 12 à 18 paires de nervures très marquées. Les racèmes dressés supportent des fleurs en forme de trompette généralement blanches, teintées de lilas, qui dépassent à peine le feuillage; elles apparaissent au début de juillet. Cette espèce et ses cultivars s'accommodent d'un emplacement ombragé à mi-ombragé. Douée d'une certaine plasticité écologique, elle s'adapte aussi bien à un sol très humide qu'à un sol plutôt sec. Plusieurs cultivars sont désormais en vente : 'Big Daddy', 'Big Mama', 'Blue Angel', 'Blue Mammoth', 'Blue Piecrust', 'Blue Seer', 'Blue Umbrellas', 'Bressingham Blue', un hybride issu d'un croisement avec le *Hosta tokudama*, 'Elegans', 'Frances Williams', 'Julie Morss', 'Northern Halo', 'Northern Lights', 'Semperaurea', 'Snowden', un hybride issu d'un croisement avec le *Hosta fortunei*, 'Aurea', et 'Zounds'.

Deux de ces cultivars connaissent un succès incontestable : 'Elegans' et 'France Williams'. Le *Hosta sieboldiana* var. *elegans* (syn. 'Elegans') est analogue à l'espèce type, sauf pour la coloration très bleutée de son feuillage. Le cultivar 'France Williams' est une mutation de la variété précédente; ses feuilles sont légèrement plus petites et le limbe est d'un vert glauque ourlé irrégulièrement de jaune pâle.

Le *Hosta sieboldii* est également connu sous le nom scientifique de *H. albomarginata*; c'est une espèce commune dans son habitat naturel, le sous-bois des forêts japonaises. On la confond souvent avec **H. lancifolia;** le caractère qui différencie ces deux espèces est la couleur des anthères; jaunes chez le *Hosta sieboldii* et violet foncé chez le **H. lancifolia**. Elle passe également, dans une moindre mesure, pour un *Hosta longissima*. Cette espèce de taille moyenne a environ 30 cm de hauteur et de 30 à 40 cm de diamètre. Le limbe de ses feuilles est lancéolé-elliptique, d'un vert moyen, aux bords ondulés et ourlés d'une ligne blanc crème; il mesure de 10 à 12 cm de longueur et compte trois à quatre paires de nervures. En août, la hampe florale s'élève à 50 cm de hauteur et arbore de petites fleurs blanches en clochettes, réunies en racème. Cet hosta est vivement recommandé comme couvre-sol dense en milieu mi-ombragé à ombragé; il requiert un sol humifère et frais.

Parmi les cultivars issus directement de l'espèce botanique ou d'un croisement entre le *Hosta sieboldii* et une autre espèce, citons aussi : **'Beatrice'**, **'Betsy King'**, **'Butter Rim'**, **'Kabitan'**, **'Saishu Jima'**, **'Subcrocea'**, **'Weihenstephan'** et **'Wogon'**.

Le *Hosta tokudama* fut longtemps tenu pour une variante de *H. sieboldiana*; certains spécialistes le considèrent toujours comme un hybride fort ancien plutôt qu'une espèce véritable. Ce hosta est de plus petite dimension que la moyenne des variétés et des cultivars issus de *H. sieboldiana* et il a des feuilles au limbe nettement arrondi, cordiforme à orbiculaire, et aux bords récurvés. La croissance de cette espèce est généralement plus lente. Le limbe, à la surface supérieure gaufrée, mesure 20 cm de largeur et 22 cm de longueur, et se caractérise par ses 11 à 13 paires de nervures bien dessinées; leur coloris est d'un bleu tendant vers un bleu légèrement verdâtre. Le feuillage a 30 cm de hauteur et s'étale sur 45 cm. Les racèmes, d'environ 45 cm de hauteur, portent des fleurs blanches en forme de trompette. Cette espèce nécessite un emplacement ombragé à légèrement ombragé. Parmi les variétés et les cultivars issus directement de l'espèce, ou dont l'un des géniteurs est le *Hosta tokudama*, nous découvrons parfois dans les catalogues des firmes spécialisées : var. *aureonebulosa*, au limbe bordé d'une marge irrégulière de ton bleu; 'Aspen Gold', au limbe jaune or; 'Apple Court Gold', issu d'un croisement entre les *Hosta* 'Semperaurea' et *H. tokudama* var. *flavocircinalis*, au limbe ourlé d'une fine bordure blanc crème; 'Buckshaw Blue', à feuilles orbiculaires d'un bleu très marqué; var. *flavocircinalis*, aux feuilles plus larges que celles de l'espèce et au limbe ourlé de jaune; var. *flavoplanata*, au limbe d'un jaune très intense, ourlé d'une étroite bordure vert glauque à bleue; 'Gold Bullion', un cultivar issu d'une mutation de la précédente variété, aux feuilles plus larges; 'Love Pat', au limbe d'un bleu profond à bord recourbé; 'Midas Touch', aux feuilles orbiculaires, au limbe d'un jaune intense à bord recourbé; 'Vanilla Cream', un hybride de dimension réduite – 8 cm de hauteur et 20 cm de diamètre –, et au limbe d'un vert pâle.

Le *Hosta undulata* est un plant plutôt variable que la nouvelle nomenclature ne reconnaît plus comme une espèce véritable. L'« espèce type », le *Hosta* 'Undulata' a 45 cm de diamètre et 35 cm de hauteur. Ses feuilles sont étroitement ovales-cordées et ont une bordure très ondulée. Le centre du limbe est blanc et la marge d'un vert jaunâtre à vert moyen. Il arbore des fleurs pourpres. On lui connaît trois variétés (ou trois cultivars) : var. *albomarginata* (syn. 'Undulata Albomarginata'), un plant de 90 cm de diamètre et de 45 cm de hauteur, aux feuilles ovales-elliptiques d'un vert moyen à foncé comptant de 8 à 10 paires de nervures, à la bordure irrégulièrement ourlée de blanc crème; var. *erromena* (syn. 'Undulata Erromena'), plant de 40 cm de diamètre et de 30 cm de hauteur, aux feuilles ovales, à la bordure ondulée, d'un vert moyen; var. *univittata* (syn. 'Undulata Univittata'), très prisé, plant de 50 à 90 cm de diamètre et de 40 cm de hauteur, aux feuilles ovales, au centre blanc crème et à la marge irrégulièrement ourlée de vert moyen (Voir photo 195, p.184). La nouvelle nomenclature considère cette dernière comme une variante plus vigoureuse du *Hosta* 'Undulata'.

Le *Hosta ventricosa*, originaire de Chine, est reconnu comme l'une des espèces les plus florifères et l'une des meilleures espèces à feuilles vertes. C'est un plant vigoureux de 60 cm de hauteur et de 90 cm de diamètre, aux feuilles cordiformes, au limbe d'un vert profond, de 12 à 17 cm de longueur et de 8 à 12 cm de largeur, comptant huit à neuf paires de nervures. Les racèmes s'élèvent à 90 cm de hauteur et portent de 20 à 30 fleurs violettes, en forme de clochettes allongées. Elle convient à une plate-bande en milieu mi-ombragé, mais s'accommode d'un emplacement ensoleillé. Deux cultivars sont également sur le marché : le *Hosta ventricosa* '**Aureomaculata**' et le *H. ventricosa* '**Aureomarginata**'. Le cultivar '**Aureomaculata**' est plus petit que l'espèce type et se singularise par une variation jaunâtre très marquée au centre du limbe entouré d'une marge vert pâle; la coloration jaunâtre du limbe disparaît graduellement durant la saison de croissance pour se transformer en un vert jaunâtre. Le cultivar '**Aureomarginata**', au port et à la dimension identiques à l'espèce, arbore des feuilles au limbe vert foncé irrégulièrement ourlé de jaune délavé.

Le *Hosta venusta* est une espèce naine, originaire de Corée, qui mesure 10 cm de hauteur et 20 cm de diamètre; les feuilles ovales à ovoïdes, de 2 cm de largeur et de 3 à 4 cm de longueur, se distinguent par trois à quatre paires de nervures. En juillet, des racèmes s'élèvent à 25 cm de hauteur et portent de petites fleurs violettes. Ce hosta requiert un milieu légèrement ombragé à ombragé. Le cultivar '**Gold Drop**' est en vente dans les bonnes pépinières; il se démarque de l'espèce par ses feuilles jaune or et ses fleurs mauves. Il lui faut un emplacement très légèrement ombragé à mi-ombragé.

LA CULTURE

La culture des hostas est facile; ce sont des plantes peu exigeantes qui croissent en milieux ombragé, mi-ombragé et partiellement ensoleillé. Certains cultivars, notamment ceux qui ont un feuillage doré, préfèrent un emplacement mi-ombragé à partiellement ensoleillé pour conserver tout l'éclat du coloris de leur feuillage. Le plein soleil peut cependant les « brûler ». Les cultivars aux feuilles d'un vert profond ou aux feuilles bleues ont une plus grande sensibilité à la lumière et prospèrent mieux dans des milieux ombragés ou mi-ombragés.

La plupart des hostas réclament un sol bien drainé, meuble et riche en matière organique (Voir photo 196, p. 185).

La grande diversité de formes et de coloris de leur feuillage laisse libre cours à une infinité d'associations entre les cultivars; les espèces ou cultivars à grandes feuilles cordiformes d'un vert profond ou glauque peuvent se marier à des spécimens de plus petite taille, aux feuilles plus ou moins lancéolées et panachées, ou encore ourlées de jaune ou de blanc crème. Les plants de grande dimension seront utilisés comme plantes spécimens et les plants de taille moindre seront groupés par petites touffes pour mieux faire ressortir leur valeur ornementale.

LES PLANTES COMPAGNES

Parmi les compagnons idéaux des hostas, mentionnons : les actées (*Actaea rubra* et *A. pachypoda*), les anémones à floraison automnale (*Anemone x hybrida*), le gingembre sauvage (*Asarum canadensis*), la fougère argentée (*Athyrium goeringianum* 'Pictum'), les différentes espèces de *Bergenia* (*B. cordifolia* et *B. x hybrida*), la buglosse de Sibérie (*Brunnera macrophylla*), le *Cimicifuga dahurica*, le muguet (*Convallaria majalis*), les dicentres indigènes ou ornementales (*Dicentra canadensis, D. cucullaria, D. eximia, D. formosa* et *D. spectabilis*), les nombreuses fougères (*Adiantum pedatum, Athyrium felix-femina, Dryopteris marginalis, Matteucia struthiopteris, Onoclea sensibilis, Osmunda cinnamonea, O. regalis* et *Polystichum acrostichoides*), les *Epimedium rubrum, E. versicolor* et *E. x youngianum*, le *Kirengeshoma palmata*, les différents cultivars de *Lamium maculatum*, les sceaux-de-Salomon (*Polygonatum multiflorum* et *P. odoratum* 'Variegatum'), les nombreuses espèces rustiques de primevères (*Primula*), les pulmonaires (*Pulmonaria angustifolia, P. montana* et *P. saccharata*), les *Rodgersia aesculifolia* et *R. pinnata* 'Superba', la tiarelle cordifoliée (*Tiarella cordifolia*) et les uvulaires (*Uvularia grandifolia* et *U. sessifolia*).

Dans les plates-bandes mi-ombragées à légèrement ombragées, qui jouissent de quatre à six heures d'ensoleillement par jour, l'amateur peut installer les vivaces suivantes : les ancolies (*Aquilegia canadensis* et *A. x hybrida*), la barbe-de-bouc (*Aruncus dioicus*), les astilbes (*Astilbe x arendsii*, *A. chinensis* et *A. simplicifolia*), l'*Astrantia major* et sa variété 'Rubra', les *Cimicifuga racemosa* et *C. simplex*, la digitale pourpre (*Digitalis purpurea*), les géraniums (*Geranium dalmaticum*, *G. endressii*, *G. macrorrhizum* et *G. sanguineum*), les heuchères (*Heuchera x brizoides*), les lis d'un jour (*Hemerocallis*), les iris de Sibérie (*Iris sibirica*), les senecios (*Ligularia dentata*, *L. macrophylla* et *L. pzrewalskii*) et le *Platycodon grandiflorus*.

LISTE DES HOSTAS RECOMMANDÉS
GROUPE À FEUILLAGE BLEU, GLAUQUE OU VERT GRISÂTRE :
GÉANT :
'Big Mama', 'Blue Angel', 'Blue Mammoth', 'Blue Umbrellas', 'Ryan's Big One', *Hosta sieboldiana*, *H. sieboldiana* 'Elegans';
DE GRANDE TAILLE :
'Big Daddy', 'Blue Vision';
DE TAILLE MOYENNE :
'Blue Dimples', 'Blue Heaven', 'Blue Wedgwood', 'Buckshaw Blue', 'Hadspen Blue', 'Halcyon', 'Love Pat', *Hosta tokudama*;
DE PETITE TAILLE :
'Blue Cadet', 'Blue Danube', 'Blue Moon', 'Blue Skies', 'Dorset Blue';
GROUPE À FEUILLAGE JAUNE :
GÉANT :
Hosta sieboldiana 'Semperaurea', 'Sum and Substance';
DE GRANDE TAILLE :
'City Lights', 'Golden Sculpture', 'Piedmont Gold', 'Sun Power', 'Zounds';
DE TAILLE MOYENNE :
'August Moon', 'Birchwood Gold', 'Birchwood Parky's Gold', 'Bright Glow', *Hosta fortunei* 'Aurea';

DE PETITE TAILLE :
'Gold Cadet', 'Golden Scelpler', 'Golden Tiara'.

Hosta à limbe vert ourlé de blanc
'Allan P. McConnell', 'Antioch', 'Carol', 'Christmas Tree', 'Crêpe Suzette', 'Crowned Imperial', 'Diamond Tiara', *Hosta fortunei* 'Albo-marginata', 'Francee', 'Frosted Jade', 'Ginko Craig'.

Hosta à limbe jaune ourlé de blanc
'Blessings', 'Crown Jewel', 'Gaiety'.

Hosta à limbe vert ourlé de jaune
'Amber Maiden', 'Aurora Borealis', *Hosta fluctuans* 'Variegated', H. fortunei 'aureomarginata', 'France Williams', *H. ventricosa* 'aureo-marginata'.

Hosta à limbe blanc marqué de vert
'Cheesecake', 'Gay Feather', 'Janet', *Hosta sieboldii* 'Silver Kabitan', *H. venusta* 'Variegated'.

Hosta à limbe jaune ourlé de vert
'Chinese Sunrise', 'Color Glory', 'Geisha', 'Gold Standard', 'Great Expectations', *Hosta sieboldii* 'Kabitan', *H. ventricosa* 'Aureomaculata'.

DESCRIPTION DES CULTIVARS RECOMMANDÉS

'**Alex Summers**', une mutation de 'Gold Regal', plant de 60 cm de diamètre et de 50 cm de hauteur, au feuillage largement marginé et irrégulièrement ourlé de jaune verdâtre, fleurs pourpres, un cultivar difficile à obtenir;

'**Allan P. McConnell**', un hybride d'*Hosta nakaiana*, de 45 cm de diamètre et de 20 cm de hauteur, au feuillage vert finement marginé de blanc, aux fleurs pourpres;

'**Amanuma**', hybride issu d'un croisement entre les *Hosta venusta* et *H. capitata* qui a beaucoup de ressemblance avec le *H. nakaiana*, plant de 35 cm de diamètre et de 20 cm de hauteur, feuillage vert moyen, fleurs pourpres;

'**Amber Maiden**', plant de 40 cm de diamètre et de 35 cm de hauteur, feuillage vert foncé ourlé de jaune, une mutation de 'Candy Hearts', à fleurs lavande;

'**Antioch**', un cultivar très apprécié, hybride du *Hosta fortunei*, gagnant de plusieurs prix, se classe parmi les hostas aux feuilles vertes ourlées de blanc crème les plus séduisants, plant de 80 à 90 cm de diamètre et de 45 à 50 cm de hauteur, à fleurs lavande;

'**Apple Court Gold**', cultivar issu d'une hybridation entre les *Hosta sieboldiana* 'Semperaurea' et *Hosta* 'Tokudama Flavocircinalis', plant d'environ 45 à 60 cm de diamètre et de 35 à 40 cm de hauteur, aux feuilles arrondies-cordées, au limbe jaune, à fleurs lavande;

'**Aspen Gold**', un cultivar probablement issu du *Hosta sieboldiana*, plant de 90 cm de diamètre et de 50 cm de hauteur, aux feuilles arrondies-cordées, de texture gaufrée, en forme de coupe, au limbe vert jaunâtre à jaune, à fleurs blanches;

'**August Moon**', cultivar issu d'un croisement entre les *Hosta fortunei* et *H. seiboldiana*, plant de 65 à 75 cm de diamètre et de 45 à 50 cm de hauteur, aux feuilles gaufrées, de couleur jaune verdâtre à jaune, persistant durant tout l'été, tolérant mal un milieu pleinement ensoleillé, à fleurs blanches;

'**Aurora Borealis**', une mutation plus vigoureuse du *Hosta sieboldiana* 'Frances Williams', au feuillage largement ourlé de jaune, plant de 90 cm à 1,10 m de diamètre et de 55 à 60 cm de hauteur, à fleurs blanches;

'**Beatrice**', une forme instable du *Hosta sieboldii*, plant de 25 cm de diamètre et de 20 cm de hauteur, à feuilles lancéolées, au limbe vert ourlé de jaune, à fleurs pourpres;

'**Betsy King**', cultivar issu d'une hybridation entre les *Hosta decorata* et une forme de *Hosta sieboldii*, plant de 50 cm de diamètre et de 35 cm de hauteur, aux feuilles ovales d'un vert moyen, à fleurs pourpres, difficile à obtenir en pépinière;

'**Bette Davis Eyes**', une obtention assez récente (1987) issue d'une hybridation entre 'Summer Fragance' et 'Christmass Tree', encore difficile à obtenir, aux feuilles cordées vert foncé, de 40 à 45 cm de diamètre et d'environ 25 cm de hauteur, à fleurs pourpres parfumées;

'**Big Daddy**', plant de 85 à 90 cm de diamètre et de 50 à 60 cm de hauteur, lauréat de l'*American Hosta Society* en 1989, aux feuilles arrondies-cordées, veinées, plutôt d'aspect rugueux, d'un joli coloris vert bleuté à bleu-vert, un cultivar dérivé du *Hosta sieboldiana*, à fleurs blanches;

'**Big Mama**', un hybride issu du croisement entre les *Hosta* 'Blue Tiers' et *H. sieboldiana* 'Blue Angel', plant de 1,10 m à 1,25 m de diamètre et de 80 à 90 cm de hauteur, aux feuilles ovoïdes de couleur bleu-vert, veinées et d'aspect gaufré, courbées en forme de coupe, à fleurs blanches;

'**Birchwood Gold**', un cultivar issu du *Hosta* 'Sunlight', très semblable au *Hosta* 'Birchwood Parky's Gold', de 70 à 75 cm de diamètre et de 40 à 45 cm de hauteur, aux feuilles cordées d'un jaune verdâtre, à fleurs lavande;

'**Birchwood Parky's Gold**', un hybride obtenu par croisement entre les *Hosta* 'Sunlight' et *H. nakaiana*, de 70 à 75 cm de diamètre et de 40 à 50 cm de hauteur, aux feuilles cordées jaune verdâtre, à fleurs lavande;

'**Black Hills**', un hybride dérivé du *Hosta* 'Green Gold', plant de 90 cm de diamètre et de 60 cm de hauteur, aux feuilles cordées vert foncé, courbées en forme de coupe, à fleurs lavande;

'**Blessings**', un cultivar dérivé du *Hosta tardiana*, encore difficile à obtenir, plant de 30 cm de diamètre et de 15 cm de hauteur, aux feuilles lancéolées jaunes finement bordées d'une marge blanche, à fleurs lavande;

'**Blue Angel**', un cultivar parfois confondu avec le *Hosta sieboldiana* 'Elegans', plant de 1,10 m à 1,25 m de diamètre et de 85 à 95 cm de hauteur, aux grandes feuilles cordées, nettement veinées, d'un bleu moyen assez prononcé, aux fleurs blanches portées sur des hampes florales bien dressées;

'**Blue Cadet**', un hybride du *Hosta tokudama*, plant de 65 à 70 cm de diamètre et de 35 à 40 cm de hauteur, aux feuilles cordées de couleur bleu moyen, à fleurs lavande;

'**Blue Danube**', un cultivar assez récent (1988), encore difficile à obtenir, issu d'un croisement entre les *Hosta tardiflora* et *H. sieboldiana* 'Elegans', plant plutôt compact de 30 à 35 cm de diamètre et d'environ 20 cm de hauteur, aux feuilles cordées de couleur bleu moyen, à fleurs lavande;

'**Blue Dimples**', hybride issu d'un croisement entre les *Hosta tardiflora* et *H. sieboldiana* 'Elegans', souvent vendu sous l'appellation erronée de 'Blue Wedgwood'; il s'en distingue par ses feuilles arrondies-cordées de couleur bleu moyen, plant de 45 à 50 cm de diamètre et de 35 cm de hauteur, à fleurs lavande;

'**Blue Heaven**', un cultivar séduisant par le coloris bleu argenté de son feuillage dont l'un des géniteurs est le *Hosta* 'Blue Cadet', plant de 50 à 55 cm de diamètre et de 30 cm de hauteur, aux feuilles cordées, bleues à reflet argenté, à fleurs blanches;

'**Blue Mammoth**', un clone dérivé du *Hosta sieboldiana*, plant de 90 à 95 cm de diamètre et de 60 cm de hauteur, aux feuilles cordées de couleur bleu moyen, à fleurs blanches;

'**Blue Moon**', un cultivar lauréat de l'*American Hosta Society Midwest Blue Award* (1982) pour la coloration bleutée de son feuillage, plant de 25 cm de diamètre et de 20 cm de hauteur, issu d'un croisement entre les *Hosta tardiflora* et *H. sieboldiana* 'Elegans', aux feuilles cordées de couleur bleu moyen, à fleurs blanches;

'**Blue Piecrust**', plant de 1,10 m de diamètre et de 80 cm de hauteur, aux feuilles cordées, limbe bleu-vert, à fleurs blanches;

'**Blue Seer**', un cultivar analogue au *Hosta sieboldiana* 'Elegans', mais dont il diffère par ses feuilles cordées légèrement plus étroites, plant de 80 à 1 m de diamètre et de 65 à 75 cm de hauteur, limbe d'un bleu glauque, à fleurs blanches teintées de lilas;

'**Blue Shadows**', un cultivar lauréat de l'*American Hosta Society President's Exhibition Trophy* (1980), issu du *Hosta* 'Tokudama Aureonebulosa', plant de 60 cm de diamètre et de 35 cm de hauteur, aux feuilles cordées de couleur bleu moyen avec des stries verdâtres au centre du limbe, à fleurs blanches;

'**Blue Skies**', un hybride assez récent, homologué en 1988, issu d'un croisement entre les *Hosta tardiflora* et *H. sieboldiana* 'Elegans', encore difficile à obtenir, plant de 30 cm de diamètre et de 20 à 25 cm de hauteur, aux feuilles cordées de couleur bleu moyen, à fleurs lavande;

'**Blue Umbrellas**', un cultivar issu d'un croisement entre les *Hosta* 'Tokudama' et *H. sieboldiana*, lauréat de l'*American Hosta Society Midwest Blue Award* (1987), plant de 1,20 à 1,25 m de diamètre et de 90 cm de hauteur, aux feuilles cordées de couleur bleu moyen, à fleurs blanches;

'**Blue Vision**', un hybride obtenu par le croisement entre deux hostas proches du cultivar 'Aden', au feuillage bleuté persistant, de 85 à 90 cm de diamètre et de 80 cm de hauteur, à fleurs blanches;

'**Blue Wedgwood**', un cultivar semblable à 'Blue Dimples' avec lequel il est souvent confondu, intéressant pour sa croissance rapide, plant de 60 cm de diamètre et de 30 à 35 cm de hauteur, aux feuilles arrondies-cordées de couleur bleu argenté, à fleurs lavande;

'**Borwick Beauty**', un cultivar attrayant, mais encore difficile à trouver, obtenu par mutation du *Hosta sieboldiana* 'Elegans', le centre du limbe acquiert une coloration crème jaunâtre et une marge bleu-vert, plant de 65 cm de diamètre et de 30 à 35 cm de hauteur, aux feuille ovées-cordées, à fleurs blanches;

'**Bressingham Blue**', un cultivar proche du *Hosta sieboldiana* 'Elegans', mais qui en diffère par ses feuilles plus larges et par le limbe bleu glauque dont le bord se révèle en forme de coupe, à fleurs blanches teintées de lilas;

'**Bright Glow**', un cultivar issu du groupe des *Hosta tardiana*, plant de 40 cm de diamètre et de 30 cm de hauteur, au feuillage jaune crème tout indiqué pour une bordure de parterre, à fleurs blanches;

'**Bright Lights**', une mutation du *Hosta* 'Tokudama Aureonebulosa', plus vigoureux que son géniteur, au feuillage jaune à la base ourlée de bleu-vert, plant de 50 à 60 cm de diamètre et de 30 à 35 cm de hauteur;

'**Buckshaw Blue**', un hybride obtenu par croisement entre les *Hosta sieboldiana* et *Hosta* 'Tokudama', plusieurs fois lauréat de l'*American Hosta Society*, plant de 45 cm de diamètre et de 30 cm de hauteur, de croissance lente, aux feuilles cordées de couleur bleu moyen, à fleurs blanches;

'**Butter Rim**', un cultivar issu du *Hosta sieboldii*, plant de 45 cm de diamètre et de 25 cm de hauteur, à feuilles ovales, au limbe d'un vert moyen ourlé de jaune, à fleurs blanches;

'**Carol**', un cultivar toujours populaire, issu d'une mutation du *Hosta fortunei*, plant de 90 cm de diamètre et de 50 cm de hauteur, aux feuilles cordées, à limbe vert foncé ourlé de blanc crème, à fleurs lavande (Voir photo 197, p. 185)

'**Chartreuse Wiggles**', un cultivar primé par l'*American Hosta Society Nancy Minks Award*, plant de 25 cm de diamètre et de 20 cm de hauteur, aux feuilles lancéolées et ondulées, au limbe jaunâtre, à fleurs pourpres;

'**Cheesecake**', une mutation du *Hosta* 'Vera Verde', au feuillage caractérisé par des variations aléatoires de couleur blanche sur toute la surface de la feuille d'un même plant, parfois aussi sur la moitié, ou plus, du limbe; on observe également plusieurs feuilles vertes ourlées de blanc crème, feuilles lancéolées, à fleurs pourpres;

'**Chinese Sunrise**', un cultivar au feuillage jaune à jaune verdâtre ourlé de vert, plant de 70 cm de diamètre et de 35 cm de hauteur, à fleurs lavande (Voir photo 198, p. 184);

'**Christmas Tree**', un cultivar dont l'un des géniteurs est le *Hosta sieboldiana* 'Frances Williams', plant de 90 cm de diamètre et de 50 cm de hauteur, aux feuilles cordées de couleur vert moyen à peine ourlées de blanc crème, à fleurs blanches;

'**City Lights**', un hybride issu du croisement des *Hosta* 'White Vision' et *H.* 'Golden Prayers', plant de 90 cm de diamètre et de 60 cm de hauteur, au feuillage jaune, à limbes cordés, à fleurs blanches;

'**Color Glory**', deux cultivars différents sont vendus sous ce nom, le plus intéressant est celui qui provient d'une mutation du *Hosta sieboldiana* 'Elegans', plant de 1 m de diamètre et de 75 cm de hauteur, aux feuilles ovées-cordées à centre variant du jaune verdâtre au vert jaunâtre, ourlées de vert, à fleurs blanches;

'**Crêpe Suzette**', un cultivar primé par l'*American Hosta Society*

Nancy Minks Award (1986), issu d'un hybride de *Hosta* 'Flamboyant', plant compact de 30 cm de diamètre et de 15 cm de hauteur, aux feuilles ovées-lancéolées ourlées de blanc, à fleurs blanches;

'**Crow Jewel**', une mutation du *Hosta* 'Gold Drop', plant compact, de 20 cm de diamètre et de 10 cm de hauteur, aux feuilles cordées, vertes, ourlées de blanc crème, à fleurs lavande;

'**Crowned Imperial**', une mutation du *Hosta* 'Fortunei Hyacinthina', plant de 80 cm de diamètre et de 65 cm de hauteur, feuilles cordées de couleur vert foncé ourlées de blanc, à fleurs lavande;

'**Daybreak**', un cultivar difficile à obtenir, plant de 90 cm de diamètre et de 55 cm de hauteur, aux feuilles cordées de couleur jaune or, à fleurs lavande stériles;

'**Diamond Tiara**', une mutation du *Hosta* 'Golden Tiara', plant de 65 cm de diamètre et de 35 cm de hauteur, aux feuilles cordées, luisantes et ondulées, à limbe vert moyen ourlé de blanc crème, à fleurs pourpres stériles;

'**Dorset Blue**', un hybride issu du croisement entre les *Hosta* 'Tardiflora' et *H. sieboldiana* 'Elegans', plant de 30 cm de diamètre et de 20 cm de hauteur, aux feuilles ovées-cordées de couleur bleu moyen, à fleurs blanches;

'**Elegans**', un cultivar très populaire du *Hosta sieboldiana*, facile à obtenir, plant de 80 cm à 1 m de diamètre et de 65 à 75 cm de hauteur, aux feuilles cordées, au limbe d'un bleu glauque, à fleurs blanches teintées de lilas;

'**Emerald Tiara**', un cultivar issu du *Hosta* 'Golden Tiara', plant de 50 cm de diamètre et de 35 cm de hauteur, aux feuilles cordées, au limbe jaune verdâtre bordé de vert, de croissance rapide, à fleurs pourpres;

'**Exotic Frances William**', un plant de 60 cm de diamètre et de 45 cm de hauteur, aux feuilles cordées, au limbe glauque finement ourlé de blanc, à fleurs blanches;

'**Floradora**', un cultivar issu d'un croisement entre les *Hosta na-kaiana* et un hybride du *H. longipes*, plant de 40 cm de diamètre et de 15 cm de hauteur, aux feuilles ovées-cordées, de couleur vert moyen, à fleurs pourpres, floraison abondante;

'**Fragrant Bouquet**', un hybride issu d'un croisement entre les *Hosta* 'Fascination' et *H*. 'Summer Fragrance', plant de 55 à 60 cm de diamètre et de 45 cm de hauteur, aux feuilles cordées, au limbe de couleur vert pomme ourlé de blanc jaunâtre, à fleurs lavande parfumées;

'**Fragrant Gold**', un cultivar issu du *Hosta* 'Sum and Substance', plant de 55 à 60 cm de diamètre et de 35 cm de hauteur, aux larges feuilles cordées-allongées d'un jaune verdâtre, à fleurs lavande;

'**Francee**', un cultivar primé par l'*American Hosta Society Eunice Fisher Award* (1976), dérivé du *Hosta* 'Fortunei', plant de 90 cm de diamètre et de 60 cm de hauteur, aux feuilles cordées, au limbe de couleur vert foncé ourlé de blanc crème, à fleurs lavande;

'**Frances Williams**', l'un des cultivars qui connaît le plus de succès en Amérique du Nord, issu du groupe des *Hosta sieboldiana* 'Aureomarginata', plant de 1,20 m à 1,30 m de diamètre et de 55 cm de hauteur, aux feuilles cordées, au limbe vert bleuté orné d'une marge jaune crème plus ou moins large, à fleurs blanches (Voir photo 199, p. 186);

'**Frosted Jade**', un hybride dérivé du *Hosta montana*, primé par l'*American Hosta Society*, plant de 70 cm de diamètre et de hauteur équivalente, aux feuilles cordées, au limbe vert foncé ourlé de blanc, à fleurs blanches;

'**Fortunei Albomarginata**', une mutation du *Hosta fortunei*, mais qui s'en distingue par ses feuilles vert foncé au limbe irrégulièrement ourlé de blanc crème, plant de 60 cm de diamètre et de 45 cm de hauteur, à fleurs lavande foncé;

'**Fortunei Albopicta**', une forme du *Hosta fortunei* qui s'en distingue par ses feuilles de couleur crème jaunâtre à bordure d'un vert profond; plant de 60 cm de diamètre et de 45 cm de hauteur, à fleurs lavande foncé;

'**Fortunei Aurea**', une mutation du *Hosta fortunei*, extrêmement décorative, au feuillage de couleur jaune légèrement verdâtre très

213 ✿

lumineuse, vieillissant sur un vert à un vert jaunâtre, plant de 60 cm de diamètre et de 45 cm de hauteur, à fleurs lavande foncé;

'**Fortunei Aureomarginata**', une forme du *Hosta fortunei* qui s'en distingue par ses feuilles de couleur vert olive aux limbes richement ourlés de jaune vif, plant de 60 cm de diamètre et de 45 cm de hauteur, à fleurs lavande foncé;

'**Fortunei Hyacinthina**', une mutation du *Hosta fortunei* aux feuilles ovales à arrondies-cordées, au limbe d'un vert argenté à la feuillaison, vieillissant sur un vert grisâtre, plant de 60 cm de diamètre et de 45 cm de hauteur, à fleurs lavande foncé;

'**Gaiety**', un cultivar issu du programme d'hybridation de Paul Aden, assez semblable à 'Hoopla', mais avec une panachure plus stable, plant de 40 cm de diamètre et de 25 cm de hauteur, aux jeunes feuilles plutôt lancéolées, puis nettement cordées, au limbe d'abord jaune vieillissant ensuite sur un vert lime ourlé de blanc, à fleurs blanches;

'**Galaxy**', un cultivar assez récent, encore difficile à obtenir, issu d'un croisement entre des hybrides proches des *Hosta* 'Béatrice' et *H. sieboldiana* 'France Williams', plant de 75 cm de diamètre et de 40 cm de hauteur, aux feuilles cordées, au limbe vert irrégulièrement panaché de jaune, à fleurs lavande;

'**Gay Feather**', un cultivar très intéressant mais difficile à obtenir, assez semblable au *Hosta* 'Celebration', plant de 40 cm de diamètre et de 30 cm de hauteur, de croissance lente, aux feuilles lancéolées dont le limbe blanc est ourlé de vert moyen, à fleurs lavande;

'**Geisha**', plant compact de 20 cm de diamètre et de 10 cm de hauteur, aux feuilles ovales-lancéolées, au limbe jaune verdâtre orné d'une large marge irrégulière d'un vert jaunâtre à vert moyen, à fleurs lavande;

'**Ginko Craig**', un hybride d'ascendance inconnue, plant de 25 cm de diamètre et de 10 à 15 cm de hauteur, portant durant les deux ou trois premières années des feuilles lancéolées au limbe vert moyen étroitement ourlé de blanc, alors que les touffes plus âgées ont des feuilles lancéolées plus larges au limbe ondulé de couleur vert moyen, ourlé irrégulièrement de blanc, un excellent choix pour une bordure, à fleurs pourpres;

'**Gloriosa**', une forme plus compacte du *Hosta fortunei*, plant de 80 cm de diamètre et de 45 cm de hauteur, aux feuilles ovales, au limbe de couleur vert moyen ourlé de blanc, à fleurs lavande;

'**Gold Bullion**', une mutation du *Hosta* 'Tokudama Flavocircinalis', plant de 75 cm de diamètre et de 35 cm de hauteur, aux feuilles ovales-cordées, au limbe vert jaunâtre vieillissant sur un jaune verdâtre, à fleurs lavande pâle;

'**Gold Cadet**', plant de 35 cm de diamètre et de 25 cm de hauteur, aux feuilles ovales de couleur jaune verdâtre, à fleurs pourpres;

'**Gold Drop**', un hybride issu du croisement entre les *Hosta venusta* et *H.* 'August Moon', plant de 25 cm de diamètre et de 15 cm de hauteur, aux feuilles cordées de couleur jaune verdâtre, à fleurs blanches;

'**Gold Haze**', un cultivar dérivé du *Hosta* 'Fortunei Aurea', plant de 60 cm de diamètre et de 35 cm de hauteur, aux feuilles ovales-cordées, au limbe de couleur jaune verdâtre vieillissant sur un vert légèrement jaunâtre, à fleurs d'un pourpre pâle;

'**Gold Leaf**', un cultivar issu d'une hybridation entre les *Hosta* 'Fortunei Aurea' et *H. sieboldiana*, plant d'environ 55 cm de diamètre et de 35 cm de hauteur, aux feuilles ovales-cordées, au limbe de couleur jaune verdâtre vieillissant sur un vert jaunâtre, à fleurs d'un pourpre clair;

'**Gold Standard**', un cultivar lauréat de l'*American Hosta Society*, très prisé des amateurs; issu d'une mutation du *Hosta* 'Fortunei', ce cultivar prospère bien en milieu ombragé, plant de 90 cm de diamètre et de 50 cm de hauteur, aux feuilles cordées, au limbe vert jaunâtre vieillissant vers un jaune verdâtre et ourlé de vert, à fleurs lavande;

'**Golden Scepter**', une mutation du *Hosta* 'Golden Tiara', plant de 45 cm de diamètre et de 30 cm de hauteur, aux feuilles cordées, au limbe de couleur jaune verdâtre, à fleurs pourpres;

'**Golden Sculpture**', cet hybride, issu du groupe des *Hosta sieboldiana*, est lauréat de l'*American Hosta Society Alex J. Summers Distinguished Merit Hosta* (1991), plant de 60 cm de diamètre et de 55 cm de hauteur, au feuillage formant une touffe presque aussi haute que large, aux grandes feuilles cordées, au limbe de couleur jaune à jaune verdâtre, à fleurs blanches;

'**Golden Tiara**', lauréat de l'*American Hosta Society Nancy Minks Award* (1980), ce cultivar issu du *Hosta nakaiana* demeure l'un des favoris des amateurs, plant de 55 cm de diamètre et de 35 cm de hauteur, aux feuilles ovées-cordées, au limbe de couleur vert moyen bordé de jaune, à fleurs blanches (Voir photo 200, p. 186);

'**Great Expectations**', une mutation plus colorée du *Hosta sieboldiana*, prisé des amateurs et promis à une très large diffusion, plant de 85 cm de diamètre et de 55 à 60 cm de hauteur, aux feuilles cordées, au limbe d'abord jaune vif, puis vieillissant sur un blanc crème à large bordure d'un vert bleuté, à fleurs blanches (Voir photo 200, p. 186);

'**Green Piecrust**', un plant de 1,10 m à 1,20 m de diamètre et de 70 cm de hauteur, aux feuilles cordées à marge ondulée, au limbe vert moyen luisant, à fleurs blanches;

'**Hadspen Blue**', cultivar lauréat de la *Royal Horticultural Society*, issu d'un croisement entre les *Hosta* 'Tardiflora' et *H. sieboldiana* 'Elegans', plant de 35 cm de diamètre et de 20 cm de hauteur, aux feuilles ovales-cordées, au limbe très bleu, à fleurs blanches (Voir photo 201, p. 187);

'**Halcyon**', cultivar lauréat de l'*American Hosta Society Alex J. Summers Distinguished Merit Hosta* (1987), très apprécié des amateurs, plant à la croissance lente de 95 cm à 1 m de diamètre et de 50 cm de hauteur, aux feuilles plutôt ovales de couleur bleu franc, à fleurs blanches (Voir photo 202, p. 187);

'**Heaven Scent**', une mutation du *Hosta plantaginea*, plant de 80 à 85 cm de diamètre et de 55 cm de hauteur, aux feuilles cordées de couleur vert moyen dont le centre du limbe est vert foncé, ourlées de jaune verdâtre, à fleurs blanches parfumées;

'**Honeybells**', cultivar issu d'un croisement entre les *Hosta plantaginea* et *H. sieboldii*, de croissance rapide, tolérant un milieu ensoleillé, plant de 1,15 m à 1,20 m de diamètre et de 65 cm de hauteur, aux feuilles cordées de couleur vert pâle, à fleurs lavande parfumées;

'**Hydon Sunset**', cultivar du *Hosta nakaiana*, plant de 20 cm de diamètre et de 10 cm de hauteur, aux feuilles ovales-cordées d'un jaune assez prononcé au début de la saison, puis vieillissant sur un vert jaunâtre à vert lime, à fleurs pourpres;

'**Inniswood**', un cultivar encore difficile à obtenir, mutation de *Hosta* 'Sun Glow' et lauréat de l'*American Hosta Society Savory Shield Award* (1986), plant de 1 m de diamètre et de 50 cm de hauteur, aux feuilles cordées dont le centre du limbe est de couleur jaune à jaune verdâtre et le pourtour vert foncé, à fleurs lavande;

'**Invincible**', une obtention de l'hybrideur Paul Aden, plant de 35 cm de diamètre et de 25 cm de hauteur, aux feuilles cordées, au limbe d'une couleur vert moyen luisant, à fleurs blanches parfumées;

'**Janet**', une mutation du *Hosta* 'Fortunei' qui ressemble au cultivar 'Gold Standard', plant de 60 cm de diamètre et de 35 cm de hauteur, aux feuilles cordées dont le centre du limbe est blanc jaunâtre alors que le pourtour est d'un vert moyen, à fleurs lavande (Voir photo 203, p. 187);

'**Julie Morss**', plant de 45 à 50 cm de diamètre et de 30 cm de hauteur, aux feuilles cordées, au limbe jaune ourlé de bleu verdâtre, à fleurs lavande très pâle;

'**Kabitan**', cultivar issu du *Hosta sieboldii*, tout indiqué pour une bordure de plate-bande, plant de 25 cm de diamètre et de 20 cm de hauteur, aux feuilles lancéolées, au limbe jaune verdâtre finement ourlé de vert moyen, à fleurs pourpres;

'**Krossa Regal**', un hybride dérivé du *Hosta nigrescens*, lauréat de l'*American Hosta Society Eunice Fisher Award* (1974) et très prisé des amateurs, plant de 75 à 80 cm de diamètre et de 70 cm de hauteur, aux feuilles cordées courbées en forme de coupe, au limbe de couleur bleu verdâtre évoluant vers le vert bleuté, à fleurs lavande;

'**Lemon Lime**', un cultivar issu du *Hosta sieboldii*, plant compact et touffu de 45 cm de diamètre et de 25 à 30 cm de hauteur, aux feuilles lancéolées, à limbe de couleur jaune verdâtre, à fleurs pourpres;

'**Love Pat**', cultivar issu du *Hosta* 'Tokudama', lauréat de l'*American*

Hosta Society Midwest Blue Award, plant de 60 cm de diamètre et de 50 cm de hauteur, aux feuilles cordées courbées en forme de coupe d'un bleu persistant, au limbe bosselé à texture marquée, à fleurs blanches (Voir photo 204, p. 186);

'**Midas Touch**', cultivar dérivé du *Hosta* 'Tokudama', plant de 70 à 75 cm de diamètre et de 55 cm de hauteur, aux feuilles cordées, limbe jaune gaufré et en forme de coupe, à fleurs blanches;

'**Moonlight**', une mutation du *Hosta* 'Gold Standard', plant de 95 cm de diamètre et de 50 cm de hauteur, aux feuilles lancéolées, au limbe de couleur vert jaunâtre ourlé de jaune crème et de blanc, à fleurs lavande;

'**Northern Halo**', une mutation du *Hosta sieboldiana* 'Elegans', lauréat de l'*American Hosta Society*, plant de 90 cm de diamètre et de 50 cm de hauteur, aux feuilles cordées à limbe bleu verdâtre irrégulièrement ourlé de blanc crème, à fleurs blanches;

'**Northern Lights**', une mutation du *Hosta sieboldiana* 'Elegans', primée par l'*American Hosta Society Nancy Minks Award* (1988), plant de 80 cm de diamètre et de 40 cm de hauteur, aux feuilles cordées ondulées dont le limbe de couleur blanc crème au centre est largement ourlé de bleu verdâtre, à fleurs blanches;

'**On Stage**', cultivar issu d'une souche du *Hosta montana*, plant de 60 cm de diamètre et de 35 cm de hauteur, aux feuilles cordées, le centre du limbe, blanc jaunâtre à marge irrégulièrement ourlée de deux tons de vert, ne conserve pas toujours ces caractéristiques, à fleurs lavande (Voir photo 205, p. 187);

'**Patriot**', mutation du *Hosta fortunei* 'Francee', ce cultivar est encore difficile à obtenir, plant de 1 m de diamètre et de 60 cm de hauteur, aux feuilles cordées, au limbe vert foncé bordé d'une marge irrégulière de couleur blanc crème, à fleurs lavande;

'**Paul's Glory**', une mutation du *Hosta* 'Perry's True Blue', plant de 70 cm de diamètre et de 45 cm de hauteur, aux feuilles cordées dont le limbe de couleur jaune verdâtre à vert jaunâtre est ourlé de bleu-vert, à fleurs blanches;

'**Piedmont Gold**', un cultivar lauréat de l'*American Hosta Society*, très prisé des amateurs, plant de 1 m de diamètre et de 50 cm de hauteur, aux feuilles cordées, au limbe d'une couleur jaune éclatant à jaune verdâtre, à fleurs blanches (Voir photo 206, p. 188);

'**Regal Splendor**', une mutation de 'Krossa Regal', plant de 90 cm de diamètre et de 95 cm de hauteur, aux feuilles cordées, au limbe vert bleuté ourlé de blanc crème, à fleurs lilas;

'**Royal Standard**', cultivar issu probablement d'un croisement entre les *Hosta plantaginea* et *H. sieboldiana*, tolérant un milieu ensoleillé, plant de 1 m de diamètre et de 45 cm de hauteur, aux feuilles cordées, au limbe de couleur vert jaunâtre, à fleurs blanches parfumées;

'**Ryan's Big One**', une forme plus large du *Hosta sieboldiana* 'Hypophylla', plant de 1,35 m de diamètre et de 80 cm de hauteur, aux feuilles cordées, au limbe de couleur bleu verdâtre, à fleurs blanches;

'**Sagae**', cultivar connu sous l'appellation erronée mais néanmoins acceptée en Amérique du Nord de *Hosta fluctuans* 'Variegated', plant de 55 à 65 cm de diamètre et de 50 cm de hauteur, aux feuilles ovales-cordées, au limbe de couleur vert grisâtre irrégulièrement ourlé de jaune crème, à bordure ondulée; à fleurs d'un violet plutôt pâle;

'**Saishu Jima**', mutation du *Hosta sieboldii*, plant de 30 cm de diamètre et de 20 cm de hauteur, aux feuilles lancéolées, au limbe de couleur vert foncé luisant, à fleurs pourpres;

'**Sea Thunder**', mutation du *Hosta* 'Sea Lightning', fort intéressant mais encore difficile à obtenir, plant de 35 à 40 cm de diamètre et de 30 cm de hauteur, aux feuilles ovales, dont le centre du limbe est de couleur crème jaunâtre et le pourtour irrégulièrement ourlé de vert moyen, à fleurs blanches;

'**September Sun**', mutation du *Hosta* 'August Moon', ce cultivar est désormais sur le marché et connaîtra une large diffusion, plant de 90 cm de diamètre et de 55 cm de hauteur, aux feuilles cordées, au limbe de couleur jaune à jaune verdâtre au centre et d'un vert moyen sur la marge, à fleurs blanches;

'**Shade Fanfare**', mutation du *Hosta* 'Flamboyant', ce cultivar est fort apprécié des amateurs, plant de 60 cm de diamètre et de 40 cm de hauteur, aux feuilles cordées, à limbe vert jaunâtre ourlé de couleur crème à crème jaunâtre, à fleurs lilas (Voir photo 207, p. 188);

'**Silver Kabitan**', une variété du *Hosta sieboldii*, plant de 25 cm de diamètre et de 20 cm de hauteur, aux feuilles lancéolées, au limbe de couleur blanc crème ourlé de vert foncé, à fleurs pourpres;

'**Snowden**', un cultivar issu du croisement entre les *Hosta sieboldiana* et *H.* 'Fortunei Aurea', plant vigoureux de 1,35 m de diamètre et de 80 cm de hauteur, aux larges feuilles étroitement cordées, au limbe vert glauque, à fleurs lavande;

'**Spilt Milk**', une forme du *Hosta* 'Tokudama', lauréat de l'*American Hosta Society Nancy Minks Award* (1989), un cultivar bien coté auprès des amateurs, mais difficile à trouver au Québec, plant de 60 cm de diamètre et de 35 cm de hauteur, aux feuilles cordées, au limbe caractérisé par des veines de couleur blanche et blanc verdâtre sur un vert moyen ourlé de vert foncé, à fleurs blanches;

'**Sugar and Cream**', une mutation du *Hosta* 'Honeybells', primé par l'*American Hosta Society Savary Shield Award* (1985), plant très vigoureux de 1,20 m de diamètre et de 65 cm de hauteur, aux feuilles cordées, à limbe d'un vert moyen ourlé de blanc, à fleurs lilas;

'**Sum and Substance**', ce cultivar a la cote d'amour chez les amateurs de hostas, lauréat de nombreux prix de l'*American Hosta Society*, plant de 1,50 m de diamètre et de 75 cm de hauteur, aux feuilles cordées, au limbe de couleur jaune vif lors de la feuillaison, puis virant au jaune verdâtre si le plant croît en milieu mi-ombragé ou ombragé, sa coloration jaune demeurant très vive sur un emplacement partiellement ensoleillé, à fleurs blanches;

'**Sundance**', une mutation du *Hosta* 'Fortunei Aoki', plant de 60 cm de diamètre et de 45 cm de hauteur, aux feuilles ovales-cordées, au limbe de couleur vert moyen irrégulièrement ourlé d'un ton crème jaunâtre, à fleurs lilas;

'**Sun Power**', un cultivar créé par Paul Aden, lauréat de l'*American Hosta Society Midwest Gold Award* (1986), très prisé des amateurs, plant de 95 cm de diamètre et de 60 cm de hauteur, aux feuilles ovales-cordées dont le limbe ondulé est d'une couleur jaune vif à jaune verdâtre, à fleurs lilas (Voir photo 208, p. 188);

'**Tardiflora**', naguère élevé au rang d'espèce, ce cultivar intéressera les amateurs par sa floraison très tardive qui débute à la fin d'août, plant de 35 à 40 cm de diamètre et de 25 cm de hauteur, aux petites feuilles lancéolées, au limbe vert foncé, à fleurs blanches teintées de lilas (Voir photo 196, p. 185);

'**Thomas Hogg**', ce nom de cultivar est quelquefois utilisé pour identifier le *Hosta decorata*, plant de 45 cm de diamètre et de 25 à 30 cm de hauteur, aux feuilles oblongues-ovoïdes, au limbe de couleur vert foncé finement ourlé de blanc, à fleurs d'un pourpre clair;

'**Undulata**', plant de 40 à 45 cm de diamètre et de 35 cm de hauteur, aux feuilles ovales-cordées à ovales, au bord ondulé, dont le limbe est de couleur blanc crème irrégulièrement ourlé de vert foncé, à fleurs violettes;

'**Undulata Albomarginata**', plant de 50 à 90 cm de diamètre et de 45 cm de hauteur, aux feuilles ovales-cordées à ovales-elliptiques, à bord ondulé, au limbe de couleur vert moyen irrégulièrement ourlé de blanc crème, à fleurs violettes;

'**Undulata Erromena**', plant de 50 à 90 cm de diamètre et de 45 cm de hauteur, aux feuilles ovales-cordées à ovales, à bord ondulé, au limbe de couleur vert moyen, à fleurs violettes;

'**Undulata Univittata**', plant de 50 à 90 cm de diamètre et de 45 cm de hauteur, aux feuilles ovales-cordées à ovales, à la bordure ondulée, au limbe blanc irrégulièrement ourlé de vert moyen, à fleurs violettes;

'**Vanilla Cream**', plant de 45 cm de diamètre et de 25 cm de hauteur, aux feuilles cordées, ondulées, de texture gaufrée, au limbe de couleur jaune verdâtre virant plus tard au jaune, à fleurs pourpres;

'**Weihenstephan**', une mutation du *Hosta sieboldii*, plant de 40 cm de diamètre et de 25 cm de hauteur, aux feuilles cordées, au limbe vert, à fleurs d'un blanc pur;

'**Whirlwind**', une mutation du *Hosta* 'Fortunei Hyacinthina', plant de 25 à 30 cm de diamètre et de 15 cm de hauteur, aux feuilles ovales cordées, dont le centre du limbe est de couleur jaune à blanc jaunâtre, ourlé de vert foncé, à fleurs lavande;

'**Wide Brim**', hybride issu d'un croisement entre les *Hosta* 'Bold One' et 'Bold Ribbons', plant de croissance rapide, de 90 cm de diamètre et de 55 cm de hauteur, aux feuilles cordées, au limbe de couleur vert moyen dont la marge est irrégulièrement ourlée de blanc virant plus tard au crème jaunâtre, à fleurs blanches;

'**Wogon**', une mutation du *Hosta sieboldii*, plant de 30 cm de diamètre et de 15 cm de hauteur, aux feuilles ovales, au limbe jaune verdâtre à jaune, à fleurs pourpres;

'**Zounds**', un hybride dérivé du *Hosta sieboldiana* 'Elegans', lauréat de l'*American Hosta Society Midwest Gold Award* (1989), plant de 75 cm de diamètre et de 40 cm de hauteur, d'une culture difficile, aux feuilles cordées dont le limbe est de couleur jaune très vif, à fleurs blanches.

LES FOUGÈRES

GÉNÉRALITÉS

UNE plate-bande mi-ombragée ou ombragée est le lieu de prédilection pour l'introduction de fougères. La plupart des espèces et des cultivars mis en vente nécessitent un sol meuble, toujours frais et un emplacement partiellement ombragé à ombragé. Quelques rares espèces préfèrent croître en milieu ensoleillé et tolèrent les sols secs; c'est le cas de la dryoptéride fragrante (*Dryopteris fragrans*) et de la woodsie de l'île d'Elbe (*Woodsia ilvensis*). Un ombrage très prononcé limite cependant le choix des fougères à introduire (Voir photo 209, p. 189).

Les fougères, comme toutes les plantes cryptogamiques, ne portent pas de fleurs et c'est donc l'aspect de leur feuillage qui compte pour l'amateur de plantes vivaces. Ce groupe de végétaux prédominait sur Terre lors de la période carbonifère, il y a plus de deux cents millions d'années. Les fougères présentent une grande diversité de formes et de dimensions. Celles qui mesurent de 5 à 12 centimètres de hauteur comme de diamètre ont leur place dans un terrarium ou un jardin alpin. Les grandes fougères arborescentes tropicales, originaires de l'Australie, mais désormais introduites dans les forêts humides des Antilles, de l'Amérique du Sud, de l'Asie et de l'Afrique, peuvent atteindre plus de 3 m de hauteur.

Dans l'hémisphère Nord, on dénombre une cinquantaine d'espèces de fougères rustiques et quantité de cultivars. Leurs tailles varient de quelques centimètres chez la botryche lunaire (*Botrychium lunaria*) et l'asplénie chevelue (*Asplenium trichomanes*), de 40 à 90 cm en moyenne chez l'athyrie fougère-femelle (*Athyrium filix-femina*) ou la matteucie fougère-à-l'autruche (*Matteucia strupthiopteris*), à plus de 1,50 m chez l'osmonde royale (*Osmunda regalis*).

Chez les fougères, le limbe chlorophyllien et le stipe portent le nom de fronde et celle-ci varie selon les genres et quelquefois les espèces. Au Québec, seules les rares fougères *Ophioglossum vulgatum* et *Camptosorus rhizophyllus* possèdent des frondes entières, c'est-à-dire au limbe non découpé. La plupart des fougères indigènes et rustiques du sud-ouest du Québec se caractérisent par des frondes profondément découpées ou composées (Voir photo 210, p. 189). Une observation attentive du limbe des fougères permet de constater ces divisions. Chez certaines, la fronde du limbe ne se divise qu'une seule fois comme celle du polypode de Virginie (*Polypodium virginianum*) et du Polystic faux-acrostic (*Polystichum acrostichoides*). Chez la thélyptère fougère-du-hêtre (*Thelypteris phegopteris*) ou l'osmonde de Clayton (*Osmunda claytoniana*), elle se divise deux fois, et jusqu'à trois fois chez l'athyrie fougère-femelle (*Athyrium filix-femina*) ou la dryoptéride spinuleuse (*Dryopteris spinulosa*). Les frondes de certaines espèces sont fertiles, car on note la présence de spores groupés en sporanges sous le limbe. D'autres fougères ont des frondes stériles – sans spores ou sporanges sous le limbe – durant une partie de leur croissance, puis émettent des frondes fertiles non chlorophylliennes, comme c'est le cas chez l'osmonde cannelle (*Osmunda cinnamomea*), l'onoclée sensible (*Onoclea sensibilis*) et la matteucie fougère-à-l'autruche (*Matteucia struthiopteris*) (Voir photo 210, p. 189). Leur mode de reproduction est différent de celui des plantes à fleurs. On peut facilement observer le cycle végétatif de ces plantes, alors que le stade reproductif reste le plus souvent ignoré de la plupart des amateurs. Ce dernier s'effectue au niveau du sol dans des conditions d'humidité ambiante fort élevée et de présence obligatoire d'eau sous la forme de goutelettes de pluie ou de rosée. Sous les frondes de certaines fougères, on retrouve des amas de spores qui portent le nom de sores et qui, par leur forme et leur position, permettent d'identifier certaines espèces. Cette « poussière » vivante se détache de la fronde à maturité et tombe sur le sol. En présence d'un fort pourcentage d'humidité, les sores se développent et donnent naissance à un organe, le prothalle, qui porte les deux sexes de la plante. La partie mâle laisse échapper des anthérozoïdes qui profitent de la présence d'eau pour nager jusqu'à la partie femelle, l'oosphère. Après la fécondation, une nouvelle fougère se développe à partir du prothalle.

Le choix des fougères offertes dans les pépinières commence à devenir intéressant. Outre la très belle *Japanese Painted Fern* (*Ahtyrium niponicum* 'Pictum'), la favorite des amateurs, on peut se procurer de nombreuses espèces indigènes du Québec et plusieurs espèces et cultivars originaires de l'Europe ou de l'Amérique du Nord.

LE CHOIX DES FOUGÈRES

Adiantum

La capillaire du Canada ou adiante pédalé (**Adiantum pedatum**) a une valeur ornementale incontestable. Cette plante indigène des sous-bois du sud-ouest du Québec est rustique (zone 4) et croît de préférence sur un sol profond et riche en humus (Voir photo 211, p. 190). Elle pousse souvent en colonies denses. La capillaire du Canada porte une magnifique fronde en forme d'éventail, unique dans le monde des fougères, sur un stipe d'environ 50 à 60 cm de hauteur. Son effet décoratif est indéniable. Elle croît sous un ombrage léger à moyen et exige un sol humifère toujours frais (distance de plantation : de 40 à 50 cm). Cette fougère est manifestement un atout pour toutes les plates-bandes mi-ombragées à ombragées.

Athyrium

Indigène du Québec, l'athyrie fougère-femelle (**Athyrium filix-femina**) est une fougère rustique (zone 4a) de taille moyenne, d'environ 40 à 60 cm de hauteur, aux frondes finement découpées, de texture très légère et de couleur vert foncé (Voir photo 212, p. 190). Tôt au printemps, les frondes enroulées, recouvertes d'écailles brun foncé, se renversent sur le dos avant de se dresser. Cette fougère

225

réclame un sol humifère assez profond et toujours frais; elle tolère mal les sols sablonneux ou à drainage excessif (distance de plantation : de 50 à 60 cm). On lui connaît de nombreux cultivars assez attrayants, dont certains sont cependant difficiles à trouver en pépinière : 'Acrocladon', un superbe cultivar très rare au limbe d'environ 30 cm de hauteur divisé en une masse crépue; 'Carissima' (syn. 'Fimbriatum Cristatum'), un élégant cultivar aux longues frondes de 90 cm à 1,20 m de longueur, aux segments finement découpés; 'Congestum', un cultivar compact, aux limbes plus étroits d'environ 15 à 20 cm de hauteur formant une masse crépue; 'Congestum Cristatum', assez analogue au précédent, mais dont le sommet des segments se termine par une crête dentelée; Série Cristatum, un ensemble de cultivars d'athyrie fougère-femelle dont le sommet de chacun des segments se termine par une crête plus ou moins développée; 'Frizelliae', un cultivar extrêmement décoratif de 20 à 50 cm de hauteur, très différent des autres athyries, à limbe très étroit; 'Frizellia Capitatum' et 'Frizellia Cristatum', deux variantes du cultivar précédent qui portent des segments crêtés; 'Grandiceps', dont le sommet des segments supérieurs fortement divisés forme de larges crêtes; 'Minutissimum', un plant nain de 10 à 15 cm de hauteur, dont les segments ressemblent à des filaments; 'Plumosum', qui comporte sous cette dénomination des athyries au limbe plusieurs fois divisé, à texture plumeuse; 'Vernoniae Cristatum', une fougère de 60 à 90 cm de hauteur, aux segments asymétriques découpés; 'Victoria', un cultivar robuste, aux segments relativement étroits et à peine crêtés.

Connue sous le nom scientifique d'*Athyrium niponicum* 'Pictum' (syn. *A. goeringianum* 'Pictum'), la *Japanese Painted Fern* demeure le choix par excellence pour des plates-bandes de jardin situées en milieu légèrement ombragé à ombragé (Voir photo 213, p. 190). Ses superbes frondes de couleur vert argenté marqué de bourgogne et de vert foncé sont de toute beauté. Ce cultivar de 25 à 50 cm de hauteur donne un effet très spectaculaire si on l'installe par groupes de trois à cinq spécimens. Rustique (zone 4b), cette fougère est de culture facile; il lui faut un sol meuble, riche en matière organique et frais (distance de plantation : de 30 à 40 cm). Sa croissance est altérée si on l'installe sous le couvert d'arbres à racines superficielles. Cette fougère est assez facile à trouver dans les pépinières du Québec.

Originaire du Japon et de la Chine, l'*Athyrium otophorum* est une autre fougère très décorative en raison de son limbe d'un vert grisâtre à argenté au début de la saison de croissance, qui vire au vert argenté au milieu de l'été et s'orne d'un rachis bourgogne (Voir photo 214, p. 190). La fronde s'élève de 40 à 60 cm dans un sol profond et toujours frais (distance de plantation : 40 cm). Elle croît sans difficulté dans le sous-bois du Jardin botanique de Montréal (zone 5). Ce cultivar est encore malaisé à obtenir dans les pépinières du Québec.

Blechnum

Originaire de l'Amérique du Nord et de l'Europe, le **Blechnum spicant** est une fougère rustique (zone 5) d'un grand intérêt. Ses frondes de 25 à 60 cm de longueur, divisées une seule fois, sont d'une belle couleur vert pâle. Elles forment une jolie couronne qui enjolive un sous-bois. La culture de cette fougère se fait sans problème sur un sol humifère, frais mais jamais détrempé, et légèrement acide (distance de plantation : de 40 à 50 cm). Elle ne tolère pas les sols au pH alcalin. On lui connaît quelques cultivars dont les segments sont ondulés, crépus ou divisés, mais ils sont rarement offerts sur le marché.

Cystopteris

La cystoptère bulbifère (**Cystopteris bulbifera**) est une autre de nos fougères indigènes qui mériterait d'être commercialisée. Cette jolie plante rustique (zone 3b), aux frondes délicates découpées deux fois, au port étalé ou retombant d'environ 20 à 35 cm de longueur, convient parfaitement à l'avant d'une plate-bande ou à une rocaille en milieu mi-ombragé à ombragé. Cette fougère doit son nom aux bulbilles situées sous les segments de ses frondes et dont la fonction est d'assurer efficacement sa reproduction végétative. La cystoptère bulbifère est de culture facile; elle n'exige pas un sol très profond et croît sans peine dans les anfractuosités des roches (distance de plantation : 20 cm). Il lui faut de préférence un sol légèrement alcalin.

Dennstaedtia

La dennstaedtie à lobules ponctués (**Dennstaedtia punctilobula**) est une très belle fougère qui forme dans son habitat naturel de vastes colonies pures (Voir photo 215, p. 191). Cette espèce rustique (zone 3b), d'une taille moyenne qui varie de 50 à 70 cm de hauteur, porte de longues frondes légèrement arquées et assez minces, d'un vert pâle jaunâtre, qui se fanent tôt à l'automne sur une teinte de rouille pâle. La dennstaedtie préfère un sol bien drainé, meuble, humifère, renfermant une certaine proportion de sable et d'humus; elle ne supporte pas l'ombrage trop dense et demande un emplacement partiellement ensoleillé à mi-ombragé (distance de plantation : de 50 à 60 cm). Un sol léger et/ou sablonneux lui est profitable. Il faut déplorer que la dennstaedtie à lobules ponctués soit plus difficile à obtenir que certaines autres fougères indigènes du Québec.

Dryopteris

La dryoptéride fougère-mâle écailleuse (**Dryopteris affinis**) est une espèce originaire d'Europe dont la rusticité n'est pas encore établie avec certitude pour l'ensemble du Québec. En zone 5, cette fougère ne requiert pas de protection hivernale particulière. Les frondes plutôt étroites mesurent entre 50 cm et 1,20 m de longueur et ont beaucoup de similitude avec celles de la dryoptéride fougère-mâle (**D. filix-mas**) (distance de plantation : de 50 à 60 cm). Plusieurs cultivars sont connus et très appréciés de collectionneurs : '**Crispa Gracilis**', une forme naine à segments légèrement ondulés; '**Cristata**' (syn. 'The King'), à frondes étroites légèrement arquées dont le sommet de chacun des segments est crêté; '**Cristata Augustata**', un cultivar à frondes très étroites; '**Grandiceps**', dont les segments sont terminés par une crête fortement divisée; '**Polydactyla**', un cultivar assez semblable à 'Cristata', aux segments plus effilés terminés par un sommet finement divisé; '**Stableri**', un cultivar de 35 cm de hauteur à courts segments étroits.

La dryoptéride dilatée (*Dryopteris dilatata*), également connue sous le nom scientifique de *D. austriaca*, est une espèce européenne rustique (zone 4b) au Québec, qui a la faveur des amateurs de fougères. Pour certains botanistes, cette espèce est une variante de notre espèce indigène, la dryoptéride spinuleuse (*D. spinulosa*). Les frondes de cette dryoptéride, de 40 cm à 1,20 m de longueur, d'un vert profond, se recourbent au sommet. Cette fougère réclame un sol humifère, profond, frais de préférence et un emplacement mi-ombragé à ombragé (distance de plantation : de 50 à 70 cm). Citons quelques cultivars intéressants : 'Crispa Whiteside' porte des frondes crispées, d'environ 25 à 35 cm de hauteur et de couleur vert pâle; 'Grandiceps', un plant de 50 à 90 cm de hauteur, aux frondes fortement crêtées; 'Lepidota Cristata', un plant de 30 à 60 cm de hauteur, aux segments finement découpés et crêtés; 'Recurvata', aux segments récurvés.

Bien qu'on l'obtienne encore difficilement, la *Dryopteris erythrosa* est une autre belle fougère, aux jeunes frondes de 35 à 60 cm de hauteur, d'un coloris cuivré à la feuillaison qui vire en vieillissant au vert foncé luisant. Ses frondes bipennées sont triangulaires. Cette fougère rustique (zone 5) demeure érigée pendant une bonne partie de l'hiver (distance de plantation : de 50 à 70 cm).

Peu abondante dans les sous-bois du Québec, la dryoptéride fougère-mâle (*Dryopteris filix-mas*) est une fougère intéressante pour la naturalisation qui est parfois offerte dans les pépinières (Voir photo 216, p. 191). Cette espèce rustique (zone 4) porte des frondes d'environ 50 cm à 1,10 m de longueur, généralement arquées au sommet, d'un vert profond. En Europe et aux États-Unis, c'est l'une des fougères les plus utilisées dans les sous-bois aménagés (distance de plantation : de 50 à 70 cm). L'espèce botanique est délaissée au profit de nombreux cultivars très décoratifs, mais difficiles à obtenir au Québec : 'Crispa', un plant compact aux frondes terminées par de petites crêtes; 'Crispa Cristata', un cultivar aux frondes de 30 à 40 cm de longueur, d'un vert profond, dont les segments supérieurs sont finement crêtés; 'Cristata', à longues frondes d'environ 50 cm à 1,20 m, aux segments courts mais dont le sommet est crêté; 'Cristata

Martindale', cultivar de 40 à 50 cm aux segments très divisés; '**Linearis**', plant de 70 à 90 cm, à segments finement découpés; '**Linearis Congesta**', un cultivar plus compact que le précédent, de 10 à 20 cm de hauteur; '**Linearis Polydactyla**', un cultivar assez semblable à 'Linearis', aux segments encore plus ténus.

Quelquefois offerte dans certaines pépinières, la dryoptéride spinuleuse (*Dryopteris spinulosa*) porte également le nom scientifique de *D. carthusiana*. Cette espèce indigène du Québec, fort rustique (zone 2), aux frondes de 50 à 80 cm de longueur, peuple toutes les zones de végétation. Un examen attentif des frondes révèle qu'une petite épine retroussée termine chacune des dents des segments tertiaires; cette caractéristique permet de la distinguer de l'athyrie fougère-femelle (*Athyrium filix-femina*) et des autres fougères à frondes finement découpées. Da culture facile, elle réclame cependant un sol meuble, riche en matière organique, frais, et un emplacement mi-ombragé à ombragé (distance de plantation : de 40 à 60 cm).

Dans les sous-bois du Québec poussent également d'autres espèces intéressantes qui pourraient être commercialisées, telles que la dryoptéride à sores marginaux (*Dryopteris marginalis*), la dryoptéride de Goldie (*D. goldiana*) et la dryoptéride fragrante (*D. fragrans*).

Gymnocarpium

Bien que rarement offerte dans les pépinières, même celles qui se spécialisent dans les espèces indigènes, la gymnocarpe fougère-du-chêne (*Gymnocarpium dryopteris*), également connue sous son nom vulgaire de dryoptéride disjointe, mériterait une place de choix dans les plates-bandes mi-ombragées (Voir photo 217, p. 191). Cette petite fougère de couleur vert tendre à rhizomes noirs et grêles, très rustique (zone 2a), possède des frondes ramifiées, puis divisées à deux reprises, d'environ 15 à 20 cm de hauteur. Lorsqu'elle est plantée en petites colonies, elle est extrêmement décorative. L'aspect d'une fronde de gymnocarpe fougère-du-chêne soulève l'intérêt car elle se compose de trois petites «frondes» triangulaires rattachées à un même stipe et formant un triangle plus large. On connaît le cultivar

'**Plumosum**' dont les segments finement découpés et allongés donnent une structure très légère à l'ensemble. Cette gymnocarpe nécessite un emplacement mi-ombragé et un sol meuble, humifère, de préférence frais (distance de plantation : de 25 à 30 cm). Une période d'immersion même temporaire dans l'eau lui est néfaste.

Matteucia

La matteucie fougère-à-l'autruche (**Matteucia struthiopteris**) croît en abondance dans les érablières du sud-ouest du Québec où on la récolte pour ses jeunes frondes comestibles, surnommées crosses-de-violon (Voir photo 210, p. 189). Cette matteucie (zone 4a) arbore une couronne serrée de frondes; les frondes végétatives ont de 70 cm à 1,30 m de hauteur. Ces dernières, plutôt grandes, sont pinnatiséquées et à segments pinnatifides; le sommet est tronqué. Son limbe ressemble beaucoup à ceux de l'osmonde cannelle (*Osmunda cinnamomea*), de l'osmonde de Clayton (*O. claytoniana*) et de l'athyrie fausse-thélyptère (*Athyrium thelypteridoides*). Un examen attentif révèle d'abord au niveau du rachis – axe principal du limbe qui le relie au stipe – un sillon bien visible ainsi que l'absence de pubescence, alors que les poils sont abondants et laineux chez les jeunes osmondes, et fournis mais courts chez l'athyrie fausse-thélyptère. Les frondes fertiles, de couleur brunâtre, se dressent au centre des frondes stériles au milieu de l'été. Dans son habitat naturel, la matteucie peuple les berges des cours d'eau et les dépressions humides; dans un jardin, il faut lui réserver un emplacement mi-ombragé, au sol profond, humifère et toujours frais (distance de plantation : de 60 à 80 cm).

Onoclea

L'onoclée sensible (**Onoclea sensibilis**) est une fougère très commune dans tout l'est de l'Amérique du Nord (Voir photo 218, p. 191). Elle colonise en grand nombre les abords des cours d'eau et les érablières, ainsi que les dépressions humides où elle ne craint pas les inondations printanières. L'onoclée sensible est une espèce rustique (zone 4a). Son limbe, d'abord dressé, puis légèrement arqué, est non ramifié, divisé une seule fois, et ses segments sont bordés de dents arrondies. De taille moyenne, cette fougère mesure de 40 à 70 cm de hauteur et préfère un emplacement légèrement ombragé, un sol humifère, légèrement acide et humide en permanence (distance de plantation : de 50 à 60 cm). La bordure d'un plan d'eau en milieu partiellement ensoleillé semble également lui convenir. Certains amateurs la considèrent comme une fougère envahissante.

Osmunda

Au printemps, lorsque les crosses des frondes de l'osmonde cannelle (**Osmunda cinnamomea**) émergent du sol, elles sont entourées d'une épaisse pubescence blonde qui devient brun cannelle en vieillissant et rend cette fougère très décorative (Voir photo 219, p. 192). De grande taille, elle a des frondes stériles d'environ 1 m à 1,50 m de hauteur et qui, divisées deux fois, ont la forme d'une longue plume d'autruche qui rappelle quelque peu celle de la fronde de la matteucie fougère-à-l'autruche. L'osmonde cannelle est une fougère rustique (zone 3) qui réclame un ombrage moyen à dense et un sol riche en matière organique et toujours frais (distance de plantation : de 60 à 80 cm). Elle se plaît en bordure d'un plan d'eau sous couvert ligneux et même en plein soleil, à condition d'avoir toujours les racines dans l'eau. Les frondes fertiles s'élèvent du centre de la couronne des frondes stériles vers le milieu de l'été.

L'osmonde de Clayton (**Osmunda claytoniana**) est une autre osmonde indigène du Québec qu'il est possible de trouver dans certaines pépinières spécialisées dans la vente de plantes indigènes. Cette fougère rustique (zone 3b), de grande taille, aux frondes d'environ 80 cm à 1,50 m de hauteur, porte des frondes stériles semblables à celles de l'osmonde cannelle. D'ailleurs, avant l'émergence des frondes fertiles chez l'une ou l'autre espèce, l'identification exacte de l'osmonde de Clayton demeure problématique tant elle ressemble à l'osmonde cannelle; même les jeunes crosses des frondes, avec leur pubescence d'abord blanchâtre puis cannelle, sont semblables. Au milieu de la saison de croissance, du cœur de la couronne de frondes stériles s'élèvent des frondes fertiles qui se distinguent par la présence de grappes brunâtres au centre de la fronde. Cette fougère exige un emplacement mi-ombragé, un sol humifère et de préférence toujours frais (distance de plantation : de 60 à 80 cm).

L'osmonde royale (*Osmunda regalis*) est une grande fougère d'environ 80 cm à 1,80 m de hauteur qui pousse en touffes assez denses. Chaque touffe ou couronne compte une dizaine de frondes stériles et fertiles. Les frondes fertiles, qui sont terminées par un panicule, acquièrent une jolie coloration rousse en vieillissant. Les frondes sont divisées deux fois. C'est une fougère rustique (zone 4b), facile à cultiver sur un sol humifère, toujours frais et de préférence humide. Elle croît aussi bien en milieu pleinement ensoleillé que sous un ombrage dense, sous réserve que le sol soit toujours frais (distance de plantation : de 90 cm à 1,20 m). Une immersion temporaire dans l'eau, au printemps, est bénéfique pour cette plante qui s'accommode fort bien de vivre en bordure d'un plan d'eau ou d'un ruisseau. Le cultivar 'Cristata', rarement offert dans les pépinières du Québec, présente des frondes aux segments crêtés.

Polypodium

Le polypode de Virginie (*Polypodium virginianum*) est une autre espèce indigène du Québec particulièrement intéressante pour un jardin ombragé. Les frondes de cette fougère mesurent de 15 à 30 cm de longueur et ressemblent beaucoup à celles du *Polypodium vulgare*, une espèce de l'Eurasie et de l'ouest de l'Amérique du Nord. Dans son habitat naturel, le polypode de Virginie pousse en petites colonies souvent denses sur le sommet ou sur la couche d'humus des parois des roches situées en milieu forestier. Cette plante offre une certaine résistance à une sécheresse passagère. Bien qu'elle préfère un emplacement ombragé ou mi-ombragé et un sol acide, elle tolère assez bien un ombrage léger et un sol au pH faiblement alcalin (distance de plantation : de 30 à 40 cm). La rusticité de cette espèce est excellente (zone 3a). Notre propre espèce indigène semble plus difficile à obtenir dans les pépinières que le polypode commun que nous venons de mentionner. Cette dernière espèce comporte un certain nombre de cultivars assez intéressants, quoique rares sur le marché québécois : 'Bifidum', dont les segments inférieurs de la fronde sont nettement lobés; 'Bifidum Cristatum', aux segments lobés terminés par des crêtes; 'Bifidum Multifidum', aux frondes fourchues et digitées à l'extrémité des segments; 'Cornubiense', aux frondes singulières, plutôt allongées, et aux segments finement découpés; 'Cristatum', aux segments crêtés; 'Interjectum', aux segments inférieurs plus larges et aux segments supérieurs renversés; 'Racemosa', aux frondes nettement divisées; 'Racemosum Hillner', aux frondes divisées et crêtées.

Polystichum

Le polystic faux-acrostic (*Polystichum acrostichoides*), appelé populairement *Christmas Fern* aux États-Unis, est une fougère rustique (zone 4a) à frondes persistantes de couleur vert foncé. De taille moyenne, environ 25 à 45 cm de hauteur, ce polystic présente des frondes d'abord dressées durant la saison de croissance, puis étalées sur le sol en automne; elles ne sont divisées qu'une seule fois. Cette fougère réclame un sol profond, humifère, bien drainé et un emplacement mi-ombragé (distance de plantation : de 60 à 80 cm). On recense deux cultivars particulièrement décoratifs : 'Crispum', dont les marges des segments sont ondulées, et 'Incisum', aux segments profondément découpés.

Bien qu'elle soit indigène sous notre latitude, la fougère-à-faucilles ou polystic de Braun (*Polystichum braunii*) n'est jamais très abondante dans son habitat naturel. Elle pousse au bord des ruisseaux dans les forêts denses, en milieu très ombragé, au sol riche et frais. Cette fougère rustique (zone 4a), aux frondes d'un vert moyen, d'environ 40 à 70 cm de longueur, exige un sol profond et toujours frais (distance de plantation : de 50 à 60 cm). Encore difficile à obtenir dans les pépinières du Québec, elle a beaucoup d'analogie avec le *Polystichum polyblepharum*, une fougère originaire de la Corée et du Japon, parfois offerte en pépinière.

Offert chez certains pépiniéristes, le *Polystichum polyblepharum* est une espèce très décorative, aux grandes frondes persistantes, de 80 cm à 1,10 m de longueur, divisées deux fois et au limbe brillant. Sa rusticité n'est pas encore déterminée avec certitude pour le sud-ouest du Québec, mais elle semble s'adapter en zone 5. Il lui faut un sol riche en humus, au pH légèrement acide, jamais alcalin et un emplacement mi-ombragé (distance de plantation : de 50 à 60 cm).

Il est dorénavant possible d'acquérir dans les bonnes pépinières le *Polystichum setiferum.* C'est une espèce de taille moyenne dont les frondes mesurent de 50 à 80 cm de longueur, quelquefois plus, et qui croît sur un sol riche et profond. Originaire d'Europe, cette fougère rustique (zone 5) porte des frondes élégantes aux segments finement découpés. La couleur du rachis écailleux contraste joliment avec celle du limbe. Outre l'espèce botanique, on recense un grand nombre de formes et de cultivars assez décoratifs, mais encore rares dans les pépinières du Québec : 'Acutilobum', un cultivar compact aux frondes étroites et aux segments effilés; 'Congestum', un cultivar nain d'environ 15 à 20 cm de hauteur, aux segments enchevêtrés; 'Divisilobum', plant doté de larges frondes à segments divisés plusieurs fois dont chaque segment tertiaire est bipenné; 'Divisilobum Densum Erectum', un cultivar étonnant, à la multitude de segments tertiaires répartis autour du rachis; 'Foliosum', à frondes veloutées et aux segments enchevêtrés de grande qualité ornementale; 'Plumosum', un cultivar de 30 à 55 cm de hauteur, d'aspect plumeux et aux fins segments enchevêtrés; 'Polydactylum', aux segments crêtés; 'Rotundatum', un cultivar à segments plutôt arrondis.

Pteridium

La fougère-aigle commune (*Pteridium aquilinum*) est une fougère d'environ 1 m de hauteur, très abondante dans son habitat naturel que sont les milieux ouverts, au sol bien drainé : champs, pâturages en friche, lisières des bois ou bords de chemins forestiers. Cette espèce porte des frondes ramifiées à trois reprises et est bien érigée. Rustique (zone 3b), la fougère-aigle commune envahit rapidement l'espace où elle est implantée. Elle doit être réservée pour la naturalisation de grands espaces en milieu mi-ombragé où elle forme rapidement de vastes colonies. Cette fougère croît sur un sol de préférence meuble, profond, renfermant une certaine proportion de sable. Elle résiste assez bien à une courte période de sécheresse (distance de plantation : de 70 à 90 cm).

Thelypteris

La thélyptère fougère-du-hêtre (**Thelypteris phegopteris**) est l'une des trois espèces dans les forêts de feuillus du sud-ouest du Québec (Voir photo 220, p. 192). Au hasard de vos randonnées d'herborisation, il est également possible d'apercevoir la thélyptère de New York (*T. noveboracensis*) et la thélyptère des marais (*T. palustris*). Aucune de ces trois fougères n'est couramment offerte dans les pépinières ou les centres horticoles spécialisés. La thélyptère fougère-du-hêtre est une fougère rustique (zone 3) de petite taille dont les frondes mesurent de 20 à 40 cm de longueur; la fronde triangulaire est divisée deux fois et présente un sommet effilé. Cette fougère se reconnaît assez facilement à ses deux derniers segments (à la base du limbe) qui divergent en formant un v incurvé. De culture facile, la thélyptère fougère-du-hêtre demande un sol relativement profond, riche en matière organique, frais et au pH légèrement acide (distance de plantation : de 50 à 60 cm). Comme son rhizome a tendance à s'étendre assez rapidement, il est parfois nécessaire de le ceinturer d'une bordure de plastique.

BIBLIOGRAPHIE

(PLANTES D'OMBRE)

ADEN, P. *et al. The Hosta Book*, Oregon, Timber Press, 1990, 133 p.

BILLINGTON, J. *Architectural Foliage*, Londres, Ward Lock. Ltd., 1991, 128 p.

BLOOM, A. *Les plantes vivaces de nos jardins*, Paris, Éditions Floraisse, Larousse, 1974, 144 p.

CHALLIS, M. *Large-Leaved Perennials*, Londres, Ward Lock Ltd,1992, 96 p.

CLAUSEN, R.R. et N.H. EKSTROM, *Perennials for American Gardens*, New York, Random House, 1989, 631 p.

CORDIER, J.P. *Guide des plantes vivaces*, Lyon, Horticolor, 1995, 248 p.

DRUZE, K. *The Natural Shade Garden*, New York, Clarkson N. Potter, inc. 1992, 280 p.

FESSLER, A. *Le jardin de plantes vivaces*, Paris, Éditions Eugen Ulmer, 1995, 360 p.

FORTIN, D. *Plantes vivaces pour le Québec*, tome I, Saint-Laurent (Québec), Éditions du Trécarré, 1993, 214 p.

FORTIN, D. *Plantes vivaces pour le Québec*, tome II, Saint-Laurent (Québec), Éditions du Trécarré, 1994, 223 p.

FORTIN, D. *Plantes vivaces pour le Québec*, tome III, Saint-Laurent (Québec), Éditions du Trécarré, 1995, 264 p.

GLASTTSTEIN, J. *Garden Design with Foliage*, Vermont, Garden Way Publishing Book, Storey Communications inc. 1991, 216 p.

HANSEN, R. et F. STAHL, *Les plantes vivaces et leurs milieux*, Stuttgart, Éditions Eugen Ulmer, 1992, 571 p.

HAY, R. *et al. Encyclopédie des fleurs et plantes de jardin*, Paris, Sélection du Reader's Digest, 1978, 799 p.

HUDAK, J. *Gardening with Perennials*, Portland, Oregon, Timber Press, 1985, 398 p.

JEFFERSON-BROWN, M. *Hardy Ferns*, Londres, Ward Lock Ltd., 1992, 96 p.

JELITTO, L. et W. SCHACHT. *Hardy Herbaceous Perennials*, vol. I et II, 3ᵉ édition révisée, Portland, Oregon, Timber Press, 1990, 721 p.

LAMOUREUX, G. et al. *Fougères, prêles et lycopodes*, Québec, Fleurbec, 1993, 511 p.

OTIS, M.-A. « Les nombreuses variantes du vert » *in Québec Vert*, vol. 17, n° 3, mars 1995, pages 6 à 9.

OTIS, M.-A. « Quoi de neuf sous la frondaison ? » *in Québec Vert*, vol. 17, n° 3, mars 1995, pages 10 à 13.

OTIS, M.-A. « Beaucoup plus que des messagères du printemps » *in Québec Vert*, vol 17, n° 3, mars 1995, pages 14 à 16.

OTIS, M.-A. « L'automne une saison négligée » *in Québec Vert*, vol. 17, n° 3, mars 1995, pages 18 à 20.

OTIS, M.-A. « Pour éclairer les coins sombres » *in Québec Vert*, vol. 17, n° 3, mars 1995, pages 23 à 28.

PATERSON, A. *Plants for Shade and Woodland*. Ontario, Fitzhenry & Whiteside, 1987, 205 p.

PHILLIPS, H.R. *Growing and Propagation Wild Flowers*. Chapel Hill, The University of North Carolina Press, 1985, 330 p.

PHILLIPS, R. et M. RIX, *Perennials*, vol. I, *Early Perennials*, New York, Random House, 1991, 240 p.

PHILLIPS, R. et M. RIX. *Perennials*, vol. II, *Late Perennials*, New York, Random House, 1991, 252 p.

SCHMIDT, W.G. *The Genus Hosta*, Portland, Oregon, Timber Presse, 1991, 428 p.

SINNES, A. C. *Shade Gardening*, California, Ortho Books, 1990, 112 p.

SPERKA, M. *Growing Wildflowers*, New York, Charles Scribner's Sons, 1973, 277 p.

TAYLOR, J. *The Shady Garden*. New York, Sterling Publishing Co, Inc. 1994, 128 p.

WILSON, W.H.W. *Landscaping with Wildflowers & Native Plants*. Vermont, Garden Way Publishing, 1992, 162 p.

WOODS, C. *Encyclopedia of Perennials*. New York, Facts on File Books, 1992, 349 p.

INDEX

DES ESPÈCES DÉCRITES OU ILLUSTRÉES

- Lorenzo Luna
- Campanules
- Baptiste Aubodo